T5-ANX-347

유머가
인생을 바꾼다

유머가 인생을 바꾼다

초판 1쇄 발행 2004년 6월 28일
초판 24쇄 발행 2005년 3월 23일

지은이 김진배
펴낸이 김선식
펴낸곳 다산북스
출판등록 2004년 2월 19일 제 313-2004-000011호

기획 편집 홍승록, 손유심, 신혜진, 윤영삼
마케팅 유민우, 임채성
디자인 디자인 86
경영지원 김미현

주소 서울시 마포구 공덕동 256-13 제일빌딩 407호
전화 02-703-1723(편집) 02-704-1724(마케팅) 팩스 02-703-2219
주문처 02-783-1907 팩스 02-783-1906
e-mail dasanbooks@hanmail.net
홈페이지 www.dasanbooks.com

값 10,000원
ISBN 89-91147-04-6 03320

파본은 본사나 구입하신 서점에서 교환해드립니다

유머가

인생을 바꾼다

김진배 지음

다산북스

유머를 몸에 익히면 인생이 두 배 재미있다

"유머가 무엇입니까?"

"유머가 과연 무엇일까요?"

"유머는 어떻게 정의내릴 수 있습니까?"

한 달 이면 두세 번 정도 일간지나 월간지 혹은 사보 기자들과 인터뷰를 한다. 제일 먼저 내게 묻는 게 유머에 대한 정의다.

"아니 유머가 뭔지도 모르세요?"

서로 웃는다. 그렇다. 유머는 우리가 이미 잘 알고 있다. 자주 접하는 일상이다. 그러나 유머가 무어냐고 다시 되물으면 고개를 갸웃거린다. 어렴풋하게 알지만 확실히 무언지는 모르는 것, 그것이 유머다.

'횡경막의 팽창과 수축에 영향을 끼치는……', 유머의 학문적 정의는 복잡하다. '상대에게 우월감이 들게 만드는 육체적 · 언어적 · 과장적인 제반 행위……', 너무 어렵다. 우리 생활과는 너무 멀리 떨어져있다. 더군다나 인생을 재미있게 신나게 살면서 멋진 성공과 행복을 꿈꾸자는 이 책의 취지와는 물과 기름처럼 잘 섞이지 않는다.

"유머란 웃게 만드는 거지요."

뭔가 거창하고 의미심장한 대답을 내심 기대했던 기자의 얼굴에 뭔가 아쉽다는 느낌을 읽는다. 그러나 나는 이 정의야말로 국민 다수의 유머 인식에 가장 가까운 정의라고 생각한다. 유머는 남을 웃게 만드는 것이다. 그리고 자신도 웃게 만드는 것이다. 과장으로 웃길 수 있고, 반복으로도 웃길 수 있다. 말투가 이상해도 웃고, 제스처가 요상해도 웃는다.

웃음은 웃음 그 자체로도 커다란 이익을 가지고 있다. 건강, 스트레스 해소, 분위기 반전. 파급되는 효과도 만만치 않다. 교수능력 증가, 리더십, 고객만족, 부부대화, 위기와 갈등 극복, 토론문화, 종교인들의 설교 능력 향상, 영업사원이나 네트워크마케팅 사업자의 대고객 설득 화술까지…….

나는 이미 유머의 효능을 나의 인생에서 100% 절감한 장본인이다. 의기소침, 우중충, 우거지상이었던 내가 다른 사람을 웃기고, 유머를 전파하는 '신바람 유머강사'가 된 것을 보면 '역시 유머는 힘이 세다'는 것을 몸소 증명한 셈이다.

우리나라 사람들은 무뚝뚝하고 퉁명스럽다는 말을 많이 듣는다. 사실 오랫동안 한국사람 유머센스 없고 무뚝뚝하다는 것은 자타가 공인하는 사실이었다. 난 이런 평가가 싫었다. 일제가 한국 민족은 게으르다는 고정관념을 심어준 것처럼 이 역시 고정관념이라는 점을 말하고 싶다.

'흥보가', '춘향가' 등 구수한 판소리 사설을 들어보라. 얼마나 우리 조상들이 해학과 익살이 넘쳤는지 알 수 있다. 비록 외세의 침입과 전쟁이 낳은 상처로, 때론 서슬 퍼런 권력 앞에 우스개 소리조차 가슴 철렁이던 때가 있었다. 하지만 우리 민족의 핏줄 속에는 유머 DNA가 아직도 살아 꿈틀대고 있다.

난 이 책을 통해 우리나라 사람들이 누구라도 자신에게 맞는 유머센스와 유머마인드를 익혀 삶에 활용하길 바란다. 그래서 인생을 즐겁게 살기 바란다. 그 즐거움은 그대로 사업가에는 생산성 향상을, 직장인에게는 신나고 재미있는 일터를, 강사들에겐 인기짱의 명성을, 주부에겐 삶의 활력을, 몸이 약한 사람에겐 건강을 배가시키는 실제적 도움이 될 것이다.

우리 민족은 '흥'이 많은 민족이다. '흥'은 모두가 함께 즐거워지는 기운이다. 지난 2002년 월드컵, 붉은 악마의 흥을 세계만방에 고한 우리가 아닌가.

이 책을 통해 나는 우리에게 숨겨진 유머라는 '흥'을 발견하는 기회가 되었으면 하고 바란다. 선천적으로 타고난 사람이 아닐지라도 얼마든지 도전해서 자신의 숨겨진 끼와 재능을 계발하길 바란다. 이 책을 통해 한달이면 당신이 웃고, 두 달이면 남을 웃길 수 있을 것이다.

_차례

프롤로그

1 왜 사람들은 '유머형 인간'에 열광하는가

2 웃음과 유머를 잃고 사는 사람들

3 나는 이렇게 유머형 인간이 되었다

4 나를 바꾸고 세상을 바꾸는 힘, 유머형 인간

5 유머형 인간을 만드는 13가지 생활습관

6 유머형 인간을 만드는 10주 프로젝트

에필로그

1 _ 왜 사람들은 '유머형 인간'에 열광하는가

- 위기를 기회로 바꾼 사람
- 삶에 열정이 넘치는 사람
- 사람을 몰고 다니는 사람
- 화를 웃음으로 녹이는 사람
- 유머로 자신을 마케팅하는 사람

위기를 기회로 바꾼 사람

사람들은 살아가면서 누구나 크고 작은 위기를 겪으며 살아간다. 따지고 보면 세상에 처음 태어나는 과정 자체가 바로 위기탈출 아니던가. 태어나서 죽을 때까지 위기의 연속이라 할 수 있다. 위기는 그 자체로는 고난과 어려움이지만 어떻게 받아들이고 어떻게 넘기냐에 따라 약이 되기도, 병이 되기도 한다. 또한 기회가 되기도 하고, 반대로 깊은 수렁이 되기도 한다. 이러한 차이를 만드는 것은 무엇일까? 어떤 사람들이 인생의 위기를 기회로 만드는 사람일까?

대원군 때 일이다. 출세의 야망을 가졌던 한 젊은이가 대원군을 찾아갔다. 그런데 대원군은 자신을 본체만체 하는 것이 아닌가. 하긴 그럴 법 하다고 여겼다. 막강한 안동 김씨 세력을 하루아침에 도륙내고 나서 세상에 무서울 것 없는, 그야말로 하늘을 나는 새도 떨어뜨릴 권세를 지닌 대원군 대감이 아닌가. 하루에도 수십, 수백 출세의 꿈을 안고 찾아오는 사람이 얼마나 많을까. 그렇다고 멀뚱히 있을 수는 없고 다짜고짜 큰 절부터 올렸다.

그러나 대원군은 본체만체다. 오든 말든, 절을 하든 말든 오로지 붓 하나 들고 연신 난만 치고 있었다. 행여 자신이 절하는 걸 못 보았나 싶어 헛기침을 한 후 한 번 더 소리 내어 큰 절을 올렸다. 그러자 이내 벼락같은 호통이 떨어진다.

"네 이 놈, 살아있는 사람에게 두 번 절을 하다니 네놈이 필경 날 송장으로 여기지 않고는 어찌 이럴 수 있단 말이냐?"

하긴 그렇다. 초상집이라면 몰라도 멀쩡한 사람에게 두 번 절을 했으니……, 더군다나 그 상대가 대원위 대감이라면 죽어도 마땅한 대죄가 아닌가. 혹 떼러 왔다가 혹 붙인 꼴이 되었으니 난감한 일이다. 살아오면서 절체절명 최대의 위기를 맞은 것이다. 그러나 이 젊은이, 냉정을 잃지 않고 여유있게 대꾸한다.

"소인이 두 번 절한 것은 당연합지요. 먼저 절한 것은 첨 뵙겠다는 절이었습니다. 두 번째 절은 이만 물러가겠다는 절이었사옵니다."

젊은이의 기개와 배짱에 감복한 대원군이 그 젊은이를 크게 썼음은 물론이다. 위기에 빠지면 보통 사람들은 당황부터 한다. 당황한 후 이런 저런 변명을 한들 이미 상대에게 약점을 잡힌 것이다.

"어이구 어쩌면 좋나. 살려만 주십시오, 대감." 이런 대응이었다면 비록 죽이진 않았더라도 곤장 몇 십대에 내침을 당했을 것이다. 그러나 젊은이는 상대의 직위와 연배에도 당황하지 않는 담대함이 있었기에 위기를

마지막으로
딱 한가지 소원을
들어줄테니
말해봐봐.
늙어서
죽게 해주세요.
들어 주실꺼죠?

기회로 반전시킨 것이다.

사실 대원군에게도 자신을 지지해주고 위기에도 쓰러지지 않을 강한 심성의 소유자가 필요했던 것이다. 대원군의 유머에 필적하는 젊은이의 유머, 두 유머형 인간의 만남은 서로에게 윈윈(win-win)이 되었던 것이다.

삶의 가장 밑바탕에서 시작하여 대한민국 최고의 비즈니스맨으로 성공한 소년 정주영의 성공비결도 그의 유머에서 묻어 나오는 긍정성, 해학성이었다.

어려서 무작정 상경길에 강을 만난다. 나루터에 도착한 그는 빈털터리임을 알고 한참을 망설이다 배에 오른다. 뱃삯이 없어 뺨을 맞고는 욕을 듣는다.

"네 이 놈, 어떠냐 후회되지?"

"네, 아저씨."

"후회될 짓을 왜 해! 이 놈아. 조그만 놈이 공짜로 배를 타다니."

"뺨 맞은 게 후회되는 게 아니라 뺨 한 번이면 배 한 번 그냥 탈 수 있는데 탈까말까 허비한 시간 때문에 후회하고 있어요."

자서전에 나오는 이야기를 필자가 유머러스하게 재구성했다. 소도 비빌 언덕이 있어야 한다고 하는데 그는 이렇다 할 부모로부터의 유산도 여차하면 도와주고 끌어주는 든든한 빽도 없었다. 배워야 산다고 우골탑을 세워주는 게 우리네 부모건만 그는 그런 학벌도 없었다. 사년제 대학은 나와야 사람 대접받는 세상에서 대학은 고사하고 중학도 나오지 못했다. 그런 그가 세계적인 비즈니스맨이 된 이유는 놀랍게도 그의 탁월한 유머감각에 있다. 유머 속에 있는 엉뚱하고도 돈키호테적인 면이 그를 성공으로 이끈 것이다.

조선소를 건립하기 위해 외국 은행 책임자를 찾아갔으나 일본에 비해 후진국에서 왔다는 이유로 대출을 망설이는 상대방에게 지갑 속에서 지폐를 꺼내 보여준다.

"그게 뭐요?"

"우리나라 돈이요. 이 그림을 보시오."

"거북이같이 생긴 배군요."

"맞습니다. 우리 조상이 이 배로 400년 전에 일본 배를 이겼소. 그러니 지금도 더 좋은 배를 만들 수 있소이다."

상대가 '일본=선진국, 한국=후진국'이란 논리 체계를 가지고 공격하자 정회장도 '과거에 더 좋은 배를 만들었으니 현재도 더 좋은 배를 만들 수 있음'이란 논리 체계를 가지고 상대를 압도한다. 이 세상에서 가장 강한 무기는 바로 상대가 제공한 무기인 것이다. 상대의 무기를 가지고 상대를 찌른 격이다. 이 한마디에 상대방은 배를 잡으며 웃더니 흔쾌히 외화를 빌려주었고, 과연 그는 세계 최고 수준의 배를 만들고 파는데 성공한다.

정주영회장과 동시대를 보낸 김대중 전대통령이 지난 85년, 오랜 망명생활을 거치고 귀국했을 때의 일이다. 공항에 도착한 그가 여러명의 미국 국회의원들과 함께 나타난 사진이 신문에 실렸다. 반대자들은 일제히 그에게 겁장이 혹은 사대주의자라는 비난을 퍼붓기 시작했다.

다음 날 신문에 김대중씨의 인터뷰 기사가 실렸다. 그는 비난 여론에 대해 어떻게 생각하느냐는 기자의 질문에 전혀 머뭇거림이 없이 이렇게 대답했다.

"에…… 사진을 잘 보세요. 제가 제일 먼저 걸어 나왔습니다. 만일 내가 그 사람들 뒤 따라 나왔더라면, 말하자면 겁장이에 사대주의자겠지만 그들이 날 따라 나왔으니 난 사대주의자가 아닙니다."

김대중씨는 오랜 정치적 고초를 겪었음에도 불구하고 귀국하자마자 반대자들의 비난과 공격에 직면했다. 여느 사람 같으면 엄청나게 분노해서 맞대응을 하거나 아니면 장황하게 이런저런 설명을 늘어놓거나 했겠지만 그는 노련한 정치가답게 유머러스한 답변으로 공격을 받아 넘겼다. 그리하여 한편으로는 반대자들을 머쓱하게 하고 한편으로는 지지자들의 마음을 더욱 강하게 사로잡을 수 있었던 것이다.

동서고금을 통해 위기를 오히려 기회로 바꾸어버린 사람들의 이야기는 언제 들어도 통쾌하다. 유머형 인간은 남들보다 두 발자국은 더 인생을 앞서간다. 하나는 위기를 극복하는 이익이요, 또 하나는 성공의 기회까지 얻는 이익이다. 유머형 인간은 위기를 오히려 성공의 발판으로 삼기에 위기를 두려워하거나 두 손 들지 않는다.

삶에 열정이 넘치는 사람

너무나도 삶이 팍팍한 한 러시아인이 자살하기로 마음을 먹었다. 어느 날 저녁, 그는 빵을 한 뭉치 옆구리에 끼고 시골길을 걸었다. 마침내 철로가 나타나자 이 사람은 그 위에 누웠다.

얼마 후 한 농부가 지나가다가 이 광경을 보게 되었다.

"여보쇼, 거기 철로 위에 누워 뭘 하는 거요?"

"자살하려고요."

"그런데 그 빵은 또 뭐요?"

"이거요? 이 지방에서 기차 오는 걸 기다리려면 굶어죽는다 해서요."

자살이 급증하고 있다. 생활고, 카드빚, 가정불화, 경제난 등 더는 못살겠다는 '생계 비관형 자살' 부터 부패비리에 연류된 잘나가던 정재계 인사들의 '명예 사수형 자살', 그리고 '나 홀로 자살' 부터 '동반자살' 까지. 일부에서는 '자살 도미노' 현상을 우려하고 있다.

더 이상 살고자 하는 의지가 없을 때, 즉 삶의 열정이 남아 있지 않을 때 사람들은 자살을 생각하게 된다. 그러나 삶이 힘들 때 땅이 꺼져라 한숨만 쉬는 사람이 있지만, 괜히 곁에 있어도 든든한 사람, 보기만 해도 빙그레 미소가 번지고 마음이 편해지는 사람들이 있다.

이들은 언제나 삶에 열정이 넘치는 사람들이다. 그리고 그 열정은 매우 전염성이 강하다. 바로 이들이 유머형 인간들이다.

미국에서는 열정의 대명사로 케네디대통령을 꼽는다. 그는 세련된 유머와 여유 있는 웃음을 통한 상황 반전에 능한 사람이었다. 그가 43세의 젊은 나이로 대통령에 입후보했을 때 상대는 산전수전 다 겪은 노련한 닉슨이었다. 당연히 선거의 쟁점은 '경륜이냐 패기냐' 로 모아졌고 닉슨은 거기에서 우위를 점하기 위해 선거기간 내내 케네디를 '경험 없는 애송이' 로 몰아붙였다. 이에 대해 케네디는 한 연설에서 이렇게 되받아 친다.

"이번 주의 빅뉴스는 국제문제나 정치문제가 아니라 야구왕 테드윌리엄스가 나이 때문에 은퇴하기로 했다는 소식입니다. 이것은 무슨 일이든 경험만으로는 충분하지 않다는 것을 입증하는 것입니다."

케네디는 유머 한마디로 상황을 역전시켰다. 유머형 인간은 비관적 상황일지라도 반전을 노리는 열정적인 삶의 태도를 가진 사람이다.

결국 열정적으로 사는 사람들이 성공한다. 그러나 웬일인지 현대인들의 얼굴에서 이런 열정을 발견하기가 어렵다. 오히려 삶에 지친 모습, 끌려가는 패잔병같이 근심스러운 모습이 대부분이다.

맹구가 묻는다.

"삼돌아, 왜 그리 기분이 좋니?"

"내 대신 걱정해줄 사람 한 달에 백만 원 주기로 하고 계약 맺었거든."

"백만 원을 어떻게 마련하려고?"

"몰라, 그 사람이 걱정할 문제니까."

걱정만 누가 대신해줘도 얼마나 세상이 살 만할까? 대리운전 하듯이 대리걱정이라. 대리걱정사 1급, 2급이란 자격증도 생길 법하다.

'성명 홍길동. 위 사람을 대리걱정사에 임명함. 보건복지부장관 김아무개.'

멀쩡한 사람들도 대부분 걱정이 생기면 우거지상이다. 근심, 걱정, 혹은 스트레스라 불리는 이놈은 참 생명력이 강하다. 어디에든 무엇이든지 들러붙어 자기 복제를 한다. 돈 걱정, 집 걱정, 아이 걱정, 건강 걱정, 취직 걱정. 그러다 더 큰 걱정이 생기면 작은 걱정은 저절로 없어지기도 한다. 그런데 걱정이란 놈에게도 천적이 있으니 바로 삶의 열정을 키워주는 유머라는 백신이다. 오히려 남보다 큰 고통을 안고도 다른 사람들에게 열정을 펴 주는 사람들은 대개 유머형 인간들이다. '꿍따리샤바라'를 부른 클론멤버 강원래는 알다시피 오토바이사고로 하반신이 마비되었다. 젊은 팬들로 둘러싸였던 그가 어느 날 휠체어 신세가 되자 처음에는 상황을 도저히 받아들이지 못했다. 그러나 배우자의 헌신적 사랑으로 현실을 긍정적으로 받아들이자 놀라운 변화가 일어났다. 한층 성숙한 사고와 명랑한 유머로 장애자들을 위로하며, 열정적인 인생을 사는 방송인으로 거듭난 것이다.

이용복(1970, 80년대를 풍미한 맹인 통기타 가수)을 볼 때마다 참 열정이 넘치는 사람이란 생각이 든다. 43년생이니 할아버지인데도 어린이 같은 미소에, 목소리도 소년 같다. 젊음의 활력이 팍팍 느껴진다. 말솜씨, 유머 감각은 코미디언 뺨칠 정도다.

불의의 사고로 얼굴 뿐 아니라 전신에 큰 화상을 입고도 항상 감사하며 사는 사람이 또 하나 있다. 이지선씨는 명문대 출신에 타고난 미모에 화목한 집안까지 행복에 둘러싸인 여자였다. 하지만 맑은 하늘에 날벼락 같은 교통사고로 중화상을 입었다. 역시 어느 기간 고통의 나날을 가진 후 현실을 담담하게 받아들인 지금은 더욱 아름다운 정신으로 거듭났다. 그녀는 끔찍한 화상으로 아름다운 외모를 잃었음에도 유머만은 잃지 않았다. 기자가 물었다.

"이렇게 밝게 사는 모습이 보기 좋군요. 비결이라도?"

"얼굴화상 피부가 굳어 찡그릴 수 없거든요. 그러니 항상 웃을 수밖에요."

그녀는 사고 전보다 더 바쁘다. 책을 쓰고 강의를 하고 인터넷 활동을 하고 고통 받는 장애인들에게 힘과 용기를 주고 있다. 이전에는 자신의 외모, 자신의 기쁨을 위해 하루를 살았지만 지금은 남을 위해 하루의 시간을 쪼개서 산다. 강원래, 이용복, 이지선 세 사람은 장애를 가진 사람이다. 그러나 이들이야말로 진정 유머형 인간의 열정을 지니고 사는 사람들이다. 유머는 간혹 세상 사람들의 걱정과 근심을 아무 것도 아닌 것으로 만드는 초월적인 힘을 가지고 있다.

사람을 몰고 다니는 사람들

아이비엠의 창설자 톰 왓슨이 회장으로 있을 때 한 간부가 위험부담이 큰 사업을 벌였다가 천만 불이 넘는 엄청난 손실을 냈다. 왓슨에게 불려온 간부가 의기소침하게 물었다.

"물론 저의 사표를 원하시겠죠?"

그러자 왓슨이 당치도 않다는 표정을 지으면서 말했다.

"지금 농담하는 건가? IBM은 자네의 교육비로 무려 천만 불을 투자했단 말일세."

아이비엠이 세계적인 기업으로 성장한 데는 톰 왓슨 회장의 탁월한 리더십이 있었기에 가능했다. 간부가 엄청난 피해를 입혔을 때 왓슨이 얼마나 속상했을지는 불문가지다. 돈 잃고 속 좋을 사람이 어디 있겠는가. 그러나 속상함을 이기지 못해 분을 터뜨렸다면 영원히 손해를 만회할 수 없었을 것이다. '손해비용=교육비용' 이라는 넉넉한 유머로 간부의 실수를 끌어 안았고, 왓슨 본인도 마음을 달랠 수 있었던 것이다.

이렇듯 유머는 사람의 마음을 사로잡는 강력한 힘을 가진다. 카리스마 중에 가장 힘 있는 카리스마가 바로 유머 카리스마라 할 수 있다.

이와 비슷한 예가 정주영회장의 자서전에도 나온다. 직원들의 실수로 정비공장에 불이 났다. 사태가 수습된 후 보니 건물이 몽땅 불에 탔다. 풀 죽어 있는 직원들에게 당시 젊은 정사장이 한마디 한다.

"기운들 내라. 어차피 다시 지으려고 했는데 뭐."

왓슨과 정회장은 국가와 기업 환경은 다르지만 회사에 충성하는 수많은 직원들을 두었다는 공통점이 있다. 권위에 대한 복종이 아닌 자발적인 헌신을 이끌어 낸 리더들이다. 그들의 또 하나의 공통점은 바로 유머형 인간이란 것이다.

예전에 개인적으로 알았던 분들 중에도 항상 사람이 몰리는 분들이 있다. 인권운동의 대부이신 김찬국 총장, 목회자이며 한국문화 연구가인 오세종 목사, 산업교육계의 명강사 천세욱 교수, 명절 때 이 분들의 집에 가면 항상 사람들로 가득했던 기억이 생생하다. 세 분 다 유머와 웃음이 넘쳐나는 분들이다. 양들이 사시사철 신선한 먹이를 제공하는 목자를 따르듯 사람들은 넉넉한 유머와 웃음을 제공하는 유머형 리더를 따른다.

화를 웃음으로 녹이는 사람

우리 선조들 중에도 뛰어난 유머로 긴장과 갈등을 해결했던 분들이 많은데 그 중 한 명이 바로 세조임금이다. 어느 날 세조가 구치관이라는 사람을 새로운 정승으로 임명했다. 그런데 구치관은 전임자였던 신숙주와 매우 불편한 관계에 있는 사람이었다. 그것을 눈치 챈 세조는 전임자와 후임자를 어전에 불러놓고 임금의 물음에 틀리게 대답하면 벌주를 내리겠노라고 말한 다음 두 사람을 번갈아 부른다.

세조 신 정승!

신숙주 예, 전하.

세조 내가 언제 신(申) 정승을 불렀소? 신(新) 정승을 불렀지. 자, 벌주를 드시오. (신숙주가 벌주를 마신 후) 구 정승!

구치관 예.

세조 허허, 난 구(具) 정승이 아니라 구(舊) 정승을 부른 게요. 벌주!

(구치관이 벌주를 마신 후) 신 정승!

구치관 예.

세조 또 틀렸군. 이번에는 신(新) 정승이 아니라 신(申) 정승을 불렀는데…….

세조는 그날 두 사람을 잔뜩 취하게 만들면서 이런저런 이야기를 나눴고 그 때까지 서로 으르렁거리던 신숙주와 구치관은 임금 앞에서 자연스레 화해를 했다고 한다. 술과 유머가 어우러진 화해의 밤을 연출한 세조의 기지가 돋보인다. 우리 조상들은 원래 흥은 붙이고 싸움은 말리라는 말처럼 사람들 간의 불화와 갈등을 슬기롭게 녹이는 능력이 탁월했건만 현대에 와서 그 전통이 다소 약해지지 않았나 싶다.

요즘 길에 나다니기 너무 힘들다. 운전하기 싫다. 사거리에서 조금만 늦게 출발하면 클락숀에 라이트 깜박이지, 나중에 추월하면서는 삿대질까지 한다. 이러니 운전하면 느는 건 욕 밖에 없다. 부끄러운 우리의 자화상이다.

돈을 넣었는데 음료수가 안 나올 때

외국인 "어! 안 나오네." 하고 그냥 간다.

한국인 "어! 안 나오네." 하곤 나올 때까지 부순다.

걸어가다가 옆 사람의 어깨를 툭 치고 갔을 때

외국인 사과하고 지나간다.

한국인 철판 깔고 그냥 지나간다.

차도에서 교통사고가 났을 때

외국인 차부터 빼고 사태를 수습한다.

한국인 멱살부터 잡는다.

갈등 상황을 잘 조절하면 원만한 대인관계가 형성되지만 제대로 처리하지 못하면 폭력으로 진행되는 경우도 자주 본다.

서울에 있는 모 고등학교에서 수학을 가르치는 박선생은 군만두라는 별명을 가지고 있다. 이름 중간에 '만' 자가 들어가서 탄생한 것인데 물론 학생들이 붙여준 것이다. 그 교사는 자신의 별명을 부르는 학생들을 꾸짖기도 하고 벌을 주기도 했지만 그럴수록 별명은 더욱 퍼져 나갔다. 우연한 기회에 유머형 인간에 대한 강의를 들은 후에 그 교사는 오히려 자신의 별명을 수용하기로 마음을 먹었다. 그러자 이상한 현상이 일어났다. 그전엔 학생들이 그 별명을 좋아하고 자신은 싫어했는데 이젠 오히려 학생들보다 자신이 더 좋아하게 되었단다.

"학생들, 만두 별명 고마워. 겉은 번지르르 하지만 속이 엉터리가 많은 세상이잖니. 그러나 만두는 이와 반대거든. 겉은 비록 밀가루지만 속엔 고기가 들었잖니."

만두라는 별명을 못마땅해 하던 '왕 짜증' 교사가 유머형 인간이 되고부터는 학생들 사이에 '인기 짱' 교사가 된 것이다.

유머형 인간은 보통사람보다 행복감을 더 자주, 더 많이 느낀다. 왜일까? 세상을 바라보는 시선과 사고가 긍정적이기 때문이다. 아내가 3층 밥을 만들었을 때 보통 사람들은 순간적으로 공격적이거나 비난의 말투가 튀어나온다.

"이걸 밥이라고 한거야?"

그러나 유머형 인간이라면 유머를 뽐내고 싶어선지, 두뇌구조인지, 아니면 웃음을 창출해내고 싶은 마음인지 전혀 반대의 대응을 한다.

"당신 정말 대단한 기술이야. 한 번에 세 종류의 밥을 하다니."

"오늘 세 종류 밥을 골고루 다 먹게 되다니 당신 덕분이야."

지금이야 식사 중에 돌을 씹는 경우가 드물지만 얼마 전만 해도 우지직 돌이 나오는 경우가 왕왕 있었다.

"야! 아가씨! 똑바로 못해. 뭐야 이거. 주인 나오라고 해."

대개 이런 반응이었지만 그때도 유머형 인간들이 있었으니,

"괜찮아, 아가씨. 그래도 돌보다는 밥이 많네."

이런 대응을 경험하지 못한 사람들이라면 처음엔 당황한다. 그러나 두세 번 이런 말을 하는 것을 보면 이내 편안함을 느낀다. 유머형 인간들을 만나면 기분이 좋다. 일반적으로 머리가 좋기 때문에 남들이 생각 못하는 한 차원 높은 창조적 발상을 하게 되며 이 때 상대는 웃음과 함께 정서적 만족, 상대에 대한 호감을 느낀다. 흔히 유머를 대인관계의 윤활유라고 부르는 이유가 여기에 있다. 유머형 인간에게 불화란 없다.

유머로 자신을 마케팅하는 사람

유머감각이 넘치는 한 스튜어디스의 이야기. 외국손님에게 음료수 한 잔을 권하자 손님은 "혹시 독주 아니냐?"고 농담을 걸어왔다. 그러자 이 스튜어디스는 "네, 사랑의 독주입니다. 한잔하시면 마음이 사랑으로 충만해질 겁니다." 라며 유머로 맞받았다. 그러자 그 손님이 "굳, 베리 굳"을 연발하며 만족한 표정을 지었다고 한다. 유머감각이 부족한 아가씨였다면 이건 독주가 절대 아니라고, 다른 손님도 마시지 않냐고 열심히 설명을 했을 테고 손님은 아마 김이 빠졌을 것이다.

유머가 성공을 부른다는 것을 확인하기 위해 교회 밖 세상속의 다양한 문화현상을 잠시 살펴보고 오기로 하자. 최인호의 '상도'(商道)라는 베스트셀러가 뜨더니 드라마가 인기리에 방영되었고, 요즘은 작가의 주가가 광고에까지 반영되고 있다. 그 주인공 임상옥은 재치와 여유 그리고 따뜻함까지 유머의 3요소를 두루 갖춘 유머형 인간이었다. 그는 젊은 시절 당시 실력자(지금의 서울시장겸 수방사령관)의 해학성 질문을 잘 이해하여 성공의 발판을 얻는다. 노회한 대감이 묻는다.

"여보게 젊은이들, 내가 숭례문(남대문) 관리를 맡고 있는데 도대체 몇 사람이나 지나가는지 몰라요. 아는 사람 있으면 내가 밀어주겠네.".

아무도 대답을 못하는데 임상옥이 분연히 말한다.

"두 사람이옵니다."

그러자 사람들은 손가락질하며 수군수군한다. 아니 하루에 최하 수백 수천 명이 지나다니는 걸 두 사람이라니 어이 없어하는 눈치다.

"어째서 그러한고?"

"대감, 그 둘은 이씨와 해씨입니다. 이씨란 대감께 이익이 되는 사람이요, 해씨란 해가 되는 사람이옵니다. 그러니 아무리 많이 통과를 하더라도 결국은 두 사람이 아니겠사옵니까?"

"어허, 내 마음을 단번에 알아챈 사람은 자네가 처음이야."

이 사건을 통하여 임상옥이 청나라와의 인삼 무역 독점권을 얻게 되고 마침내는 조선최고 갑부가 된다. 뛰어난 유머감각이 그를 성공의 길로 이끈 것이다.

스튜어디스나 임상옥이나 한마디 유머를 통해 자신을 멋지게 마케팅하는데 성공한 경우다. 유머를 통해 자신의 주가를 올리는 사람은 의외로 다양하다.

요즘 TV 시청률 경쟁이 치열한데 항상 안정적인 시청자를 확보한 프로는 여지없이 유머가 넘치는 프로다. 개그콘서트는 수많은 젊은이들을 브

라운관 앞에 잡아놓고 있으며 급기야는 녹화현장에 수천 명이 몰려가 같이 즐긴다. 유머시트콤 또한 폭발적인 인기다.

영화도 유머가 넘쳐야 성공한다.

'친구', '살인의 추억', '효자동 이발사', 'JSA', '신라의 달밤', '공공의 적', '가문의 영광', '광복절 특사', '실미도'…….

우리 영화를 할리우드 못지않게 성공시켜 한국 문화의 위상을 높이고 외화를 굳게 지킨 영화의 제목들이다. 모두 5분에 한 번씩은 폭소가 터지게끔 제작한 작품들이다.

그 외에도 요즘 뜨는 사람들은 모두 유머감각이 뛰어난 것을 알 수 있다. 말투가 다양한 배한성, 송도순, 손범수 등의 유머감각은 방송계에서 다 알아준다. 스포츠해설가 중 야구의 하일성, 축구의 신문선 등은 모두 유머감각이 뛰어나다. 그들의 해설은 발음이 부드럽고 말투가 재미있다. 그래서 시청자들로 하여금 빨려들게 만드는 재능을 가지고 있다. 아나운서 송재익은 발음만 좋은 것이 아니라 익살과 재담을 접목한 중계로 시청자들에게 또 하나의 재미를 더해준다.

축구 대표선수가 강슛을 날리자,

"슛이 대포알 같군요. 삼손이 보면 '형님' 했겠어요."

한 복싱선수가 허우적대자,

"마치 60년대 술 취한 사람이 물동이 어깨 메고 산등성이 올라가는 것 같아요."

신장이 긴 선수와 아주 작은 선수가 주먹을 주고 받는다.

"마치 괭이와 호미의 싸움 같군요."

라디오 쪽에서 강석, 김혜영, 이택림, 노사연, 최유라, 이상운의 감칠맛 나는 유머 에드립이 프로의 시청률을 높이고 있으며 떠오르는 젊은 개그맨 배칠수, 김학도 등은 3김 모창 등 특유의 유머센스를 통해 최고의 인기를 얻고 있다.

산업교육계에선 세브란스병원 황수관 교수의 표정연기, 윤은기의 부드러운 미소가 주가를 올리고 있다. 대학교수 중엔 "이게 뭡니까?"의 김동길 교수, "흔들리는 자녀"의 이성호 교수가 유머감각이 뛰어나다. 의료계에서도 이시형 박사 등이 유머감각이 탁월한 교수로 꼽힌다. 곽선희 목사, 김삼환 목사는 세련된 유머감각으로 '설교=수면제' 라는 교인들의 선입견을 파괴하면서 초대형교회 목회자로 성공했다.

요즘 교실 분위기는 과거완 다르다. 당시엔 교사 강의가 재미있든 없든 또랑또랑 눈을 뜨고 있었지만 지금 유머감각 없는 교사들은 죽을 맛이다. 극소수의 우등생 몇 명을 빼곤 대부분 학생들이 딴 짓을 하든지 졸고 있다. 한마디로 지루한 것은 죽어도 못 참는 세대의 풍속도이다. 반면에 유머감각이 넘치는 교사는 최고 인기를 구가하고 있다. 일단 학생들의 시선을 잡는 것부터가 큰 성과요, 유머와 위트을 섞어 내용을 전달하니 학생들의 이해도 빠르다. 일반 학생들은 물론이고 우등생들도 그런 교사를 더욱 좋아한다.

기업의 리더들이 직원 교육을 할 때, 골프장에서 친교할 때, 바이어와 상담할 때 한 마디 유머가 대인관계를 향상시키는 촉매역할, 윤활유 역할을 톡톡히 한다. 대권에 도전하는 정치인들도 유권자들을 방문해 마이크를 잡을 때마다, 스스로 혹은 참모들의 도움을 받아 조크를 준비, 선사하고 있다. 요즘 총선, 대선에 출마하는 사람치고 안 웃는 사람 없다. 10여 년 전만 해도 웃는 사람 발견하기 어려웠는데 10년 동안 강사보다 더 많이 변한 게 출마자의 웃는 얼굴사진이다.

이러한 여러 예들은 우리 사회에 유머가 점점 생활 속에 깊게 자리 잡아가고 있다는 것을 보여준다. 아니 원래 해학과 익살이 넘치는 우리 민족의 기질을 되찾아 가는 과정이라는 생각도 해 본다.

사회학자들은 말하기를 국민소득 만 불이 유머가 폭발적으로 증가하게 되는 기준이라고 한다. 성공을 꿈꾸는 사람이라면 먼저 자신을 유머로 마케팅할 일이다.

2_ 유머와 웃음을 잃고 사는 사람들

- 화를 가슴에 품고 사는 사람들
- 이혼율이 높아지는 진짜 이유
- 세대의 벽 속에 갇힌 사람들
- 인간미 없는 사장님
- 눈치만 보는 직장인
- 왜 정치인을 탓할까
- 돈이 '웬수' 인 사람들
- 사나운 상인
- 헌법위에 떼법
- 매력 없는 남자
- 잔소리만 해대는 여자

화를 가슴에 품고 사는 사람들

좀 신경질적인 기업총수가 병에 걸려 자리에 드러눕자 자신을 진찰한 의사를 불러왔다.

"어디가 어떻게 편찮으신 겁니까?"

의사가 물었다.

"무엇 때문에 당신을 불러들였는지 모른다는 말이오? 어디가 안 좋은지를 당신이 알아내라는 것 아니오."

환자는 투덜거렸다.

"알겠습니다."라고 의사는 차분히 생각하면서 말했다.

"한 시간쯤 다녀와야겠어요. 가서 수의사 친구를 데려오겠습니다. 물어보지도 않고 진단할 수 있는 사람이라면 그 사람뿐이니까요."

맹구가 선생님에게 말했다.

"아빠가 겪은 전쟁 이야기인데요. 아빠가 전쟁 중에 깡소주를 마시면서 총탄 12발과 수류탄 2개를 갖고 계셨데요. 그때 적이 나타났고 아빠는 12명을 총으로 쏴 죽이고 수류탄으로 20명을 폭사시켰대요."

"그래, 아빠의 이야기를 듣고 어떤 교훈을 배웠니?"

그러자 철수가 하는 말,

"네, 아빠가 술에 취했을 때는 앞에서 얼쩡거리지 말라는 거요."

보통 사람들은 의사 앞에서 꼼짝 못하는 데 의사를 호통 치는 걸 보니 돈의 위력이 대단하다. 사업하는 사람도 인간이니 얼마나 힘든 일이 많을까? 하물며 돈에 쪼들리는 서민들이야 말해 무엇 하랴. 소주 한 병으로 속에 있는 화(禍)를 발산하는 모습이야 주위 어디에서 볼 수 있는 풍경이다. 한국 사람만큼 화 잘 내는 사람들도 드물다. 자존심이 강한 민족성 탓인지 남에게 지거나 꿀리는 걸 참지 못한다. 오죽하면 "사촌이 땅을 사면 배가 아프다."는 속담이 있겠는가.

남자보다도 여자들에게 화병이 많다. 여자 시집살이 귀머거리 삼 년, 벙어리 삼 년, 장님으로 삼 년이라고 했다. 친정 부모도 그런 딸자식을 보며 "그저 참아야 하느니라." 며 체념 섞인 위로뿐이었다. 그렇게 그때 그때 생기는 화를 발산하지 못하고 허벅지를 꼬집으며 참기만 하니 속병이 생기는 건 당연한 일이다.

허나 지금이야 양성 평등을 지나서 낮이고 밤이고 여성 상위시대가 되어버린 세상이니 굳이 여성에 국한 할 것 없이 우리 모두가 화를 제거하는 기술을 배워야 할 것이다.

신입사원 때 의욕에 불타서 아이디어를 냈건만 매너리즘에 빠진 상사

화 푸시지요,
암행어사님!
혈압 오르십니다.
저...저....년!
춘향아!
이번엔 암행어사가 수청을
들라고 하면 들꺼냐?
당근이지!
바보야! 생각해봐.
사또랑 어사랑
하늘과 땅인데....

에 의해 보류되었을 때 화가 생긴다. 꼭 구입 하겠다고 철석 같이 약속해 준 구매자가 오리발 내밀 때도 화가 생긴다. 믿었던 자식이 꼴찌 성적표를 가져왔을 때도 화가 생긴다. 어느 날 밤 신체의 특정 부분이 갑자기 파업하는지 작동되지 않을 때 남자들은 화가 생긴다.

화 자체가 나쁜 건 아니다. 사실 스트레스가 없으면 모든 생명체는 진화하지 않는다. 포유류가 바다 속에서 배불리 먹고 사는 데, 뭐 하러 육지로 나오고, 네 발로 즐겁게 사는 데 뭐 하러 직립을 하겠는가? 천적을 피하고 먹이를 찾다보니 발전한 것이다. 사실 스트레스는 잘 관리하면 나쁜 게 아니다.

문제는 스트레스에 치여서 상처를 받거나 스트레스를 제대로 발산하지 못해 누적되는 게 큰일이다. 화가 화병으로 발전하여 그 뜨거움이 뇌를 치면 중풍이 되고 위장을 치면 위장병, 위암이 된다.

조금만 스트레스 받아도 얼굴이 벌개지며 뜨끈뜨끈해지는 사람이 있다. 눈이 충혈되고 가슴에 무언가 차서 시원치 않은 경우도 생긴다. 화가 고여 있는 증상이다. 스트레스란 쓰레기와 같아서 그날 그날 치우면 별 문제없지만 누적되면 온 집안을 악취도가니로 만든다.

미 캘리포니아주 로마린다 의대의 리 버크 교수와 스탠리 탠 교수는 지난 1996년 웃음이 체내에서 병균을 막는 항체인 인터페론 감마 호르몬을 2백배 이상 증가시킨다고 발표했다. 또 40년 동안 웃음과 건강을 연구한 미국 스탠퍼드 의대 윌리엄 프라이 교수는 한술 더 떠 웃음은 뇌하수체에서 엔돌핀이나 엔케팔린 같은 자연 진통제를 생성시키고, 부신에서 통증이나 신경통과 같은 염증을 낫게 하는 신비한 화학 물질을 분비시키며, 혈압이 낮아지고 신체 모든 기관에 긴장을 이완시킨다고 보고했다. 오죽하면 그의 지론이 "15초 웃으면 이틀 더 오래 산다."일까.

웃음은 육체적 건강뿐 아니라 정신적 건강에 더 큰 도움을 준다. 화를 웃음으로 바꾸는 능력을 지닌 유머형 인간은 몸도 마음도 건강한 사람들이다. 웃으면서도 자신의 욕구와 의견을 무리 없이 전달하니 화나 스트레스가 몸에 쌓일 까닭이 없다. 유머형 인간이 많아질수록 이 나라 전체 스트레스 지수는 점점 낮아지고 국민 건강지수는 높아질 것이다.

이혼율이 높아지는 **진짜 이유**

남편 여보! 거울 앞에서 왜 눈을 감고 있어?

부인 응, 나 잠자는 얼굴 한 번 보려고.

남편 당신 왜 얼음을 안 만들어 놔?

부인 요리책을 아무리 뒤져봐도 얼음 만드는 방법이 안 나와 있잖아요.

부인의 황당한 대답에 남편이 얼마나 속이 터질까? 잠자는 얼굴 보려고 눈을 감고 거울을 보다니. 남자들은 아내의 실수나 서투름을 참지 못하고 종종 화를 낸다. 절대 자기 아내에게 운전을 가르치지 말라는 말이 있다. 아내도 남편에게 운전 배울 생각 말라고 한다.

"브레이크 밟으랬더니 악셀은 왜 밟아. 당신 또라이 아냐?"

"야! 왜 이리 밥통이야."

2세를 위해서라도 머리 좋은 사람을 만나야 하는데…… 걱정하는 처녀 총각들이 의외로 많다. 지능, 두 말할 것 없이 결혼의 중요한 요소다.

하나님 너는 100살 동안 산다!!

여자 정말요?

얼마 후 그 여자는 성형수술을 했다. 100년 동안 예쁘게 살기 위해. 그러나 그 여자는 성형수술을 한 바로 그 날에 죽어버렸다.

하늘나라에서 여자가 따진다.

여자 지금 난 20살인데 왜 거짓말을 했죠?

하나님 왈

"너인지 못 알아봤어!"

유머는 아무렇게나 생기는 것 같지만 사회변화를 예리하게 포착해내고 있다. 불과 10여년 전만 해도 성형수술을 소재로 한 유머는 우리나라엔 없었다. 성형수술 붐을 타고 그에 관한 유머도 속속 등장하고 있다. 아가씨가 얼마나 뜯어고쳤으면 하나님도 못 알아보았을까? 성형수술이 붐을 타고 있다. 일부에서는 '성형수술 계' 가 성행하고, 성형수술을 이벤트 상품으로 내건 한 케이블TV사의 프로그램도 생겨날 정도이다.

앞으로는 성형수술 보상보험이 생기면 폭발적인 인기를 누리지 않을까. 성형수술보험에 들고 수술을 했는데 맘에 안 든다. 그럼 무작위로 100명의 자발적 신청인을 심사위원으로 해서 수술 전과 수술 후의 사진을 놓고 맘에 드는 쪽을 선택하게 한다. 과반수 이상이 수술 후 쪽을 찍으면 보상할 필요도 없고 본인도 만족할 것이다. 그러나 반대의 결과가 나오면 보험회사는 재수술 비용을 지급한다. 아무리 사람들이 얼굴보고 사냐고 하지만 외모야말로 결혼 상대를 고르는 중요한 조건임엔 틀림이 없다. 지성과 미모, 경제력도 물론 중요하다. 그러나 정말 중요한 건 따로 있다.

사내강사와 교육담당자 대상으로 장시간 패키지 강의를 할 때 물었다. 그들 대부분이 미혼이거나 결혼한 지 얼마 안 되는 나이였기에 '미스 박 신랑감 구하기' 란 프로그램을 진행했다.

"당신은 27세 직장 여성이다. 원하는 남자의 조건을 말하라."

그랬더니 조건들이 쭉 열거되는데 학벌, 지능, 외모(얼굴, 키, 몸), 집안, 종교, 돈, 직장, 건강 등이 나왔다. 그런데 참석자들이 가장 중요하다고 지목한 것은 위에 열거한 조건들이 아니고 바로 성격이었다.

남 닭살 돋게 티를 내던 '닭살 커플' 이 결혼 후 잉꼬커플이 되었는데 아니 이게 웬 일? 어느 날 갑자기 성격 차이로 인해 헤어진다는 소식을 우린 자주 접한다.

그렇다. 가난해도 참을 수 있고, 머리 나쁘면 배우면 된다. 또 못생겼어도 정들면 제 눈에 안경이다. 종교, 직장, 집안, 식성 다 견딜 수 있지만 말이 안 통하고 마음을 몰라주면 참을 수 없다. 그런데 여기서 중요한 건 성격의 규정이다. 남편은 내성적인데 부인은 외향적인 경우, 혹은 남편은 논리적인데 부인은 감성적인 경우 분명 둘의 성격은 다르다. 그럼 서로 이혼해야할까? 그건 아니다. 이런 부부가 오히려 더 잘사는 경우도 많다.

그래서 우린 정확히 표현해야 한다. 중요한 건 '성격 차이' 가 아니라 '성격 차이를 서로 이해하지 못하는 마음' 때문에 갈라서는 것이다. 이걸 모르기 때문에 또 다시 만난 사람하고도 마음이 안 맞아 괴로워하는 사람들이 너무 많다.

결혼은 '판단력' 부족, 이혼은 '인내력' 부족, 재혼은 '기억력' 부족이라는 말이 있다.

서로 죽고 못 살겠다고, 서로의 성격 차이는 아무 것도 아니라고 철썩같이 믿다가, 나중에 '성격 차이' 때문에 도저히 못 참겠다고 이혼하고 나서는 또 언제 그랬냐는 듯 다시 재혼하고 후회하는 사람들. 처음부터 성격 차이를 인정하고 낙관적으로 바라볼 줄 아는 마음이 정말 필요한 사람들이다.

유머형 인간은 남을 있는 그대로, 생긴 그대로 이해해 주고 존중해주는 사람이다. 마치 엔진 윤활유가 어떤 형태의 실린더 구조에도 다 촉촉이 스며들듯이. 만약에 엔진오일이 자신의 일을 거부한다면 어떤 일이 벌어질까.

"저런 피스톤은 밥맛이야!"

"이런 모양의 실린더 속에 들어가기엔 내 자존심이 허락하질 않아."

"난 6기통 체질이니까 아무데나 붓지 마!"

이랬다간 당장 폐유통 속으로 폐기처분 될 것이다.

원만한 가정생활을 위해 부부 각자에게 필요한 게 바로 이것이다. 서로 윤활유가 되어 상대 탓하지 말고, 상대 생긴 것 바꾸려 말고 소리 없이 적응할 일이다.

세대의 벽 속에 갇힌 사람들

신나게 포르노를 보고 있는데 부모님이 갑자기 들어왔다.

변명형 "제목이 코믹영화 같길래 빌렸더니 아니잖아요."

설득형 "엄마도 사춘기 때 이런 거 보신 적 있잖아요. 요즘 애들은 이런 거 다 봐요. 저희 때는 다들 호기심이 왕성하잖아요. 저 믿죠?"

책임전가형 "친구가 맡겨놨어요. 진짜 짜증나게 이런 거 맡기고 난리야."

애원형 눈물을 줄줄 흘리면서 "엄마. 너무 보고 싶어서 그랬어요. 흑."

적반하장형 비디오를 확! 끄면서 "뭐, 이런 게 다 있어!" 하면서 테이프를 들고 나간다.

애교형 "부모님을 위해 준비했습니다. 즐거운 시간 되십시오."

'어떻게 하면 부모의 간섭에서 벗어나 창공을 자유롭게 날 수 있을까.' 어릴 적엔 엄마, 아빠가 삶의 모델이지만 사춘기가 되면 아이들은 부모로부터의 해방을 꿈꾼다. 그 탈출구로 서둘러 취업, 유학, 결혼이라는 미래를 선망한다. 재미있는 건 나중에 자기들도 엄마 되고 아빠 되면 비슷한 궤도를 밟는다는 것이다.

애들이 커서 사춘기가 되고 음란 비디오를 보고 자위를 할 나이가 되면 엄마의 잔소리는 극에 달한다. 건강 해치면 어쩌나, 공부에 방해되면 어쩌나…….

사실 요즘 필자도 음란성 스팸메일 때문에 골치를 썩고 있다. 중학생, 초등학생에게까지 무작위로 날라온다. 여중생 딸을 가진 부모 입장에서 걱정도 되고 당국의 어정쩡한 대응엔 울화통도 터진다.

이런 문제에 무신경한 것도 문제이겠으나 너무 예민한 반응도 역효과를 가져올 수 있다고 본다. 필요 이상의 간섭이나 위선적 태도는 곤란하다. 지금 어른들도 어렸을 때 당시 어른들 모르게 후미진 곳에서 별 짓 다 했다.

중학생인 병돈이에게는 고민이 있었다. 그러던 어느 날 병돈이는 작심을 했는지 주먹을 불끈 쥐고는 상담실 문을 두드렸다.

"서, 선생님!"

총각 선생님은 자상한 웃음으로 맞아주셨고, 병돈이는 어렵게 입을 열었다.

"선생님, 저는 자위를 해요. 그것 때문에 드는 죄책감에 괴롭습니다.

죄송합니다."

"죄송하긴. 자위는 절대 나쁜 게 아니란다. 하지만 자꾸 자위행위를 하다 보면 두 가지 안 좋은 증상이 생긴단다. 첫째는 기억력을 현저하게 감퇴시킨다는 거야. 그리고 둘째는, 둘째는…… 어이 씨! 또 잊어버렸네."

이 교사뿐 아니라 솔직히 지금 중년들도 사춘기시절 친구끼리 모여 여학생들은 애정소설을, 남학생들은 포르노 잡지를 몰래 돌려 보며 마음 설레지 않았던가. 서울 지역 사는 젊은이들은 세운상가 청계천 방면 육교 위를 서성이며 '좋은 책'을 파는 호객꾼을 기다리곤 했다. 수업시간에 몰래 보다가 선생님에게 뺏기게 되면 돈이 아까워 피눈물, 엉덩이 불나는 매질에 또 한번 울고, 부모님 호출이라는 협박에 다시 눈물짓곤 하던, 사춘기의 열병 때문에 생긴 추억이 아련하다.

예전 부모들은 아이들에게 성교육을 시켜야 하나 말아야 하나 고민했다. 성교육을 안 시키자니 엉뚱한 실수하면 어쩌나 걱정이고, 그렇다고 시키자니 부모 자식 간에 낯 뜨겁기도 하거니와 괜히 아이들 잔잔한 마음에 파문 일으킬까봐서였다.

반면 요즘은 애들이 부모보다 더 잘 안다. 음란물 접속에 대해, 무료로 즐기기, 웬만한 성교육은 어른에게 가르칠 정도다. 우리 자녀들이 너무 지나치게 탐닉하지만 않다면 사랑과 애정으로 음란물에 대해서도 자식과 부모가 허심탄회하게 대화하면 어떨까?

"요즘 학생들 성교육에 대해 많이 배우는 구나. 아들, 요새 정신적으로 갈등 같은 건 없니?"

"예전에 엄마가 성에 대해 무지해서 첫 생리 후 오랫동안 고민했단다.

참 바보였지, 너 첫 생리 축하하기 위해 아빠가 케익 사오신대."

선진국의 예에서 보듯 음란물이 개방되면 오히려 관심이 줄어들기도 한다. 오히려 요즘 젊은이들을 보면 외모에 대한 관심이 더욱 큰 문제다. 알다시피 요즘 얼짱, 몸짱 신드롬이 한창이다. 특히 여학생 가진 부모가 마음고생이 많단다.

"엄마, 내 얼굴이 맘에 안 든단 말이야. 왜 아빠를 만났어? 더 잘생긴 남자 만나지."

글쎄다. 여학생이 외모에 욕심 있는 건 이해가지만 그렇다고 부모 탓하는 건 우습다. 왜냐하면 사실 엄마가 다른 남자를 만났다면 아마 십중팔구 본인은 태어나지도 않았을 것이다.

무슨 유행이 불 때마다 자식 가진 부모는 애가 탄다. 음란물이나 외모 열풍 외에도 연예인에 대한 탐닉, 게임 등 인터넷 문화 등 전혀 다른 삶을 살고 있다. 허나 세대간 진정 큰 문제는 단순히 다른 문화를 누린다는 데 있지 않다. 신구 세대간 서로 상대방을 있는 그대로 이해해주지 못하는 게 더 큰 문제다. 이해를 못하니 대화도 없고 더군다나 유머와 웃음은 더욱 줄어든다.

원래 유머란 게 상대를 기쁘게 하는 노하우인데 나이 차이가 많이 나면 서로 기쁘게 하거나 웃게 해주기가 힘들다. 문화감각이나 인생 체험 등이 틀리기 때문이다. 친구와 전화로 킥킥거리다가도 부모가 방에 들어오면 근육이 긴장한다.

이런 갈등을 해결하려면 가족 중에 세대를 뛰어넘어 상대를 있는 그대로 수용하고 활기를 불어넣는 사람이 적어도 하나는 필요하다.

어느 드라마에서 본 장면이다. 나이 지긋한 할머니가 오히려 손녀의 돌출적인 행동을 적극 지지하고 자신도 그런 행동을 한다. 할머니와 손녀는 같이 귀고리하고, 같이 야릇한 책도 본다. 무서운 엄마가 결정적으로 증거를 포착하려 하지만 그때마다 할머니가 도와주어 위기를 넘긴다. 좌충우돌 할머니는 머리는 희지만 마음은 사춘기 소녀다. 드라마만을 보면 고도의 교육효과를 노린 할머니인지 아니면 푼수할머니인지 모르겠으나 어쨌든 자신을 이해하는 유머형 할머니 덕에 사춘기 소녀는 그 시절을 잘 넘기고 아름답게 성장한다.

유머형 인간은 자신과 다른 세대의 사고방식도 흔쾌히 이해해준다. 사고가 유연하고 상상력이 풍부하기 때문이다. 이들은 자기 세대의 가치만 지고의 선이라고 완고하게 고집하고 주장하지 않는다. 자신들이 어렸을 때 기성세대에게 공격 당했던 그 아픔을 고스란히 기억하고 있기에. 또한 신세대들에게서 보이는 혼란과 이질감 그 깊은 속에 빛나는 보석이 숨어 있는 것을 알기에.

인간미 없는 사장님

사장님의 거짓말

1. 사원들이야말로 우리 회사의 가장 소중한 재산입니다.
2. 나는 마음을 활짝 열어놓고 있는 사람이니 무엇이든 얘기하십시오.
3. 새로운 제도 하에 여러분은 더 많은 돈을 벌 수가 있을 겁니다.
4. 고객에게 더 나은 서비스를 제공하기 위해 조직개편을 하는 것입니다.
5. 우리의 앞날은 밝습니다.
6. 우리는 모험을 감행하는 사람에게는 상을 내립니다.
7. 임무 달성 시 보상이 기다릴 겁니다.
8. 우리는 죽은 자에겐 총을 겨누지 않습니다.
9. 사원연수야 말로 가장 우선 시 되는 사항입니다.
10. 어떠한 소문도 들은 바 없습니다.

사장님!
저는 지금 하는 회사일이
아주 즐겁고 재미있어요.
그래?
그럼 돈 내고 다녀라.

11. 6개월 내에 업무실적을 검토하겠습니다.

12. 우리 회사 직원들이 최고입니다.

13. 여러분의 의견이 우리에게 정말 중요합니다.

이 유머의 제목이 '사장님의 거짓말' 이다. 사장이 아니라 사장님! 사실 우리 같은 작가들은 글쟁이 자존심 때문에 웬만해선 사람들 호칭 뒤에 '님' 자 안 붙여준다. 전현직 대통령은 물론 소크라테스나 공자 뒤에도 '공자님 맹자님' 이라고 안 붙인다. 그러나 사장님이라고 붙였다. 왜?

요즘 일자리 창출이 애국이요, 실업극복이 바로 국난극복의 중심 과제가 아닌가. 그러니 사장님들이야말로 애국자요, 국난 극복의 주역들이다.

회사 짓고 공장 건설하기 위해 땅을 산다. 부동산 경기가 좋아지고, 그 위로 시설을 지으면 건축경기가 어깨춤이다. 직원을 고용하니 취업난이 해결된다. 직원의 자녀들은 학비를 낼 수 있고 부인들은 반찬거리를 살 수 있다. 물건을 만들어서 팔게 되고 수지타산 맞춰 봐서 이윤이 발생하면 나라에선 세금을 차지하는데 이는 국가 안보, 고속도로 건설 등 나라를 운영하는 데 필수적인 요소에 투자된다. 물론 여의도 둥그런 지붕 안에서 어슬렁거리며 애국자인 척 폼은 혼자 다 잡는 사람들까지 먹여 살리기 위해 '구국의 차떼기' 로 온 국민을 경악케 하기는 하지만.

이렇게 훌륭한 일을 하는 사람들이 사장님들이니 어찌 '님' 자를 안 붙이랴! 그런데 현실은? 글쎄다. 과연 우리나라 기업체 중 직원들로부터 혹은 국민들로부터 진정으로 존경받고 사랑받는 사장님들이 얼마나 될까? 물론 사회적으로 지탄받을 일을 해서 욕먹는 건 할 수 없지만 시대에 뒤떨어진 이미지 때문에 존경받지 못한다면 문제다.

"하라면 해." 이런 권위주의적 이미지,

"왜 말이 많아?" 이런 독선적 이미지,

"젊은 사람들이 뭘 안다고." 이런 고리타분한 이미지.

자, 21세기 CEO들이여! 유머형 인간으로 변신하자. 유머형 CEO는 자식 또래의 신입직원과도, 천 원짜리 상품을 사는 고객과도 맥주 한 잔 놓고 흔쾌히 대화할 수 있을 정도로 열린 마음을 가지고 있다. 대부분의 CEO들도 젊은 시절 상사의 부당한 지시, 무시하는 언행에 억울해서 소주 한 잔하며 분노를 터뜨렸던 추억이 있을 것이다. 욕하며 배운다하지만 이는 범부들에 국한된 말이다. 성공하는 리더는 자신이 겪은 좋은 체험뿐 아니라 아픈 체험들로부터도 학습한다. 유비는 힘만 세고 포악한 여포 밑에 있었기에 오히려 리더십의 중요성에 대해 제대로 학습하게 된다.

부당한 리더십의 폐해를 몸으로 느꼈기에 올바른 리더십을 갖는 리더는 성공한다. 사장 자리에 올랐으니 실컷 지시하고 명령하고 젊은 시절의 한을 풀겠다고 생각하고 있는 사람이 있다면 정말 앞날이 걱정된다. CEO는 폼잡고 윽박지르는 자리가 아니라 비전을 제시하고 직원들에게 미래의 꿈을 꾸게 하는 자리다. 뜨는 해와 지는 해가 있듯이 뜨는 CEO는 확실히 다르다. 전날 저녁 준비한 상큼한 유머 한마디로 인해 아침 직원 조회 때 여직원들 입가에 번지는 해맑은 웃음이 얼마나 소중한 것인지를 요즘 뜨는 사장님들은 잘 안다.

눈치만 보는 직장인

어떤 사장이 전 직원을 불러 모아 놓고 자기가 주워들은 농담을 듣게 했다. 한 여직원을 빼고는 모두가 크게 웃었다. 사장이 물었다.

"자넨 유머감각도 없나?"

그랬더니 여직원이 하는 말.

"난 웃지 않아도 돼요. 난 이번 금요일에 사직하거든요."

사무직 직장 생활 십년에, 하루 종일 앉아 있다보니 종아리 근육은 약해지고, 매일 밤 술자리에 배 근육은 늘어지고, 상사 눈치 보느냐고 눈 근육만 고도로 발달했다는 사람들이 도처에 있다.

생존하기 위해 사장님의 썰렁한 농담에도 헤헤 웃다가, 사직서를 내고 나선 웃지 않는다는 직원의 말도 일견 이해가 간다. 얼마나 눈치를 보며 살아왔을까? 거센 인사 바람이 불면 행여 꺾일 세라 혹여 잘릴 세라……. 부장 얼굴, 사장 얼굴 저승사자 만나는 듯 지긋지긋하지만, 한 달에 한 번 봉급 받는 맛에 서른 날 참고, 넉 달에 한 번 보너스 받는 맛에 백 스무날을 참아왔으니 아아 가상하다. 마치 인동초처럼 마치 잡초처럼 끈질기게 참아 온 우리 대한민국의 샐러리맨들이여! 장하고 장하도다. 그대들에게, 그대들의 인내에 박수를 보내노라. 보내노라! 보내노……라?

보내긴 뭘 보내나? 박수를 뭐 하러 보낼꼬. 난 박수도 칭찬도 격려도 보낼 마음이 모기 눈꼽만큼도 없다는 걸 분명히 밝힌다. 눈치만 보는 직장생활은 구시대의 유물이다. 박물관에나 보내버려라. 눈치 보지 말고 당당하게 일해라. 그리고 일한 만큼 요구하라. 그래야 승진한다. 그래야 나중에 창업을 해도 돈을 벌게 된다. 눈치만 요구하는 직장이라면 비전이 없는 직장이거나 리더십이 없는 CEO를 모신 꼴이다. 가망 없다. 퇴근해서 상사 욕만 하는 직장이라면 그 상사도 문제지만 직원들도 미래가 없기는 매일반이다

유머형 인간이란 인생이 재미있다고 생각하는 사람들이다. 그러니 직장도 재미있는 곳으로 바꿔보자. 바꿔! 바꿔! 우리는 얼마 전 "정치인들아! 제발 좀 바뀌어라." 애원하듯 이 노랠 불렀다. 이젠 우리가 스스로를 향해 외칠 때다. 출근하면 먼저 인사하자. 이왕 일하는 것 노래 부르며 웃는 낯으로 일하자. 터벅터벅 걷지 말고 춤추듯 신나게 걷자. 돈 나가는 것도 아니니 웃어주고 칭찬해주자. 눈치 보지 말고 소신 있게 일하자. 시간 때우지 말고 시간을 정복하자. 찡그리며 일하지 말고 신명나게 일하자. 직장생활이 재미있어지는 순간 승진, 출세, 건강, 부가 따라 온다.

그러니 자! 한번 외쳐보자. 인생은 재미있는 거야! 우리 회사 최고야! 내 직장, 내 상사, 내 동료 어우러져서 재미있게 한 번 해 보자고.

왜 정치인을 **탓할까**

오뎅은 김밥을 매우 싫어했다. 겉과 속이 다른 놈이라는 이유로. 어느 날 주인이 잠시 나간 틈을 타서 오뎅은 포크를 집어 김밥을 마구 찔러댔다. 이어서 들리는 고통스런 비명소리

"그만, 그만. 제발 그만!"

한참을 찌르다 지친 오뎅이

"겉과 속이 다른 네가 나는 싫어!"

그러자 김밥이 하는 말

"지는 순댄디유."

사람들이 가장 경멸해 마지않는 인간형이 바로 겉과 속이 다른 부류일 게다. 이런 사람들은 왕따 0순위이다. 이중인격자라고도 불리우는 이들의 특징은 여기서 이 말 하고 저기서 저 말 한다는 것이다. 이것은 무슨 대인관계나 융통성과는 상관없는 일이다. 분명히 구분 짓자면 융통성이란 상

황의 변화에 잘 대처하는 능력이고, 이중인격은 상황의 변화나 대상의 다름에 따라 자신의 기존 언행을 속이는 것이다. 유연함과 사기가 같을 수는 없다. 이중허리는 무도장에서 선망의 대상이지만 이중인격은 어디에서나 경멸의 대상이다.

이중인격의 대표적인 사람으로 흔히 정치인을 꼽는다. 국회에선 '오직 나라와 민족을 위해' 눈물 흘리는 모습을 보이다가 당사에서는 '오직 당리당략을 위해' 돌변하는 모습이 정떨어지기 때문이다. 사실 이 문제에 관한 한 나를 포함한 많은 유권자들도 책임이 있다. 남 앞에선 '오직 나라의 발전이 되는 한 표' 라고 했다가 투표장에선 '오직 우리 고향, 우리 학교 선배를 찍는 한 표' 를 행사하니 말이다.

정치인을 탓하는 이유 중 하나는 자신의 모순을 그들에게 전가하기 때문이란 점을 직시하여야 한다. 잘못 뽑아 그 피해를 고스란히 당하면서도 선거철이 되면 엉뚱한 궤변이 난무한다.

"그 놈이 그 놈이여."

"다 똑같은 놈들잉게 난 안 찍어부러."

"다 도둑놈 아이가?"

"아무나 돼두 마찬가지유."

그럴 듯한 말들 같지만 궤변이요, 민주주의 본질을 파괴하는 자기 모순성 발언이다. 그 놈이 그 놈 같지만 잘 들여다보면 이 놈과 저 놈이 다르다. 개미와 흰개미가 다르고, 사슴벌레와 장수하늘소가 다르듯이.

유머형 인간은 세상을 재미있다고 느끼는 사람들이며 또한 사람들이 살만한 재미있는 세상으로 만들어가는 사람이다. 그러기 위해선 좀 더 나은 상품으로 집을 꾸미듯 좀 더 나은 정치인을 골라내는 혜안이 필요하다. 유머형 인간은 사회의 모순에 짜증내고 거기에 함몰되는 게 아니고 사회의 모순을 예리하게 직시하여 유머적으로 풍자하고 세상을 변화시키는 주체적인 사람이다. 그래서 정치인들은 풍자가를 제일 무서워한다.

정치인들 욕만하고 정리하려니 가슴이 아프다. 그들도 다 우리 아버지요, 형제요 이웃인데. 걸레는 빨아도 걸레라 하나 그 걸레도 한 때는 잘나가는 내의요, 번듯한 수건이었다. 그러니 너무 욕만 할 게 아니라 그들이 바람직한 정치인이 되도록 유권자도 노력해야 한다. 막걸리 값 요구하지 말고 좋은 정책을 요구하자. 정치인이 누군가? 우리 시민들이 뽑은 사람들이 아니던가? 자식이 죄를 지으면 아비도 욕을 먹는 것처럼 정치인의 주인인 유권자들도 거듭나야할 것이다. 유머형 인간은 결코 침을 튀기며 큰 소리로 비난하여 풀이 죽게 만들지도, 방관하여 지 멋대로 방종하도록 놔두지도 않는다. 촌철살인의 유머한마디로 반성하게 만든다.

프랑스 정치지도자 클레망소에게 신문기자가 물었다.

"지금까지 본 정치가 중에서 누가 최악입니까?"

"이 나이가 되도록 아직 최악의 정치가를 찾지 못했습니다."

"그게 정말입니까?"

그러자 클레망소가 분하다는 듯이 말한다.

"저 사람이 최악이다 싶은 순간 꼭 더 나쁜 사람이 나타나더군요."

돈이 ‘웬수’인 사람

철수가 미래 장인 될 사람을 찾아왔다.

“따님과 결혼하고 싶은데요.”

“젊은이 수입이 얼만고?”

“월수입 200 만원인데요.”

“그렇다면, 딸의 수당이 한 달에 150만원이니까…….”

“근데 아버님, 그것까지 이미 계산에 넣은 건데요.

돈이 없으면 참 살기 힘들다. 사람이 죽어가도 돈이 없으면 좋은 약 한 첩 먹기 힘들다.

“아, 돈 없으면 방 빼!”

“한 푼 없는 건달이 요릿집이 무어냐!”

내 지갑의 두께에 비례해서 만나는 사람 머리가 더 깊이 숙여지는 게 인지상정이다. 그러나 지갑이 얇아질수록 살기는 팍팍하고 남들이 더욱 무시하는 것처럼 생각되는 것 또한 당연지사. 필자도 스무 살 시절 사채빚(일명 일수돈)을 얻어 대학 등록금을 마련한 적이 있다. 그때의 나 자신의 무기력함에 대한 그 분노, 짜증을 지금도 기억한다. 유난히 밝았던 그날, 정말 햇빛도 싫었다. 돈이 없어 단칸방, 반지하방, 소음과 쾌쾌한 냄새 나는 방에서 지내는 건 누구도 좋아할 리 없으리라. 친구들 초대해서 나도 한 번 근사하게 쏘고 싶은데, 멋진 차 몰고 다니며 데이트도 하고 싶은데, 사랑하는 자식 예쁜 옷도 사주고 싶은데 돈이 '웬수' 다.

사람 나고 돈 났다 해도 돈이 없으면 고통 받고 설움 받는 게 필연이다. 예전에 20대 초반 청년 시절 현재 필자와 같이 산업체에서 강의를 하는 교수님 말씀이 생각난다.

"여러분, 돈은 그리 중요하지 않습니다. 그저 약간 불편할 따름이지요."

난 이 말을 철석같이 믿고 돈을 무시했다. 심하게 말하면 돈을 경멸했다고도 할 수 있다. 돈 말고 의미 있는 것들을 추구했다. 절대자, 철학, 플라토닉 러브, 우정, 애국 등등. 그러나 돈이 없으니 이 모든 것이 물거품이 되었다. 돈이 없으니 모든 것이 무의미해졌다.

돈에 대한 나 자신의 가치관 즉 '돈관' 에 대해 나 자신을 깨닫게 한 것은 인기 TV 시리즈 '동물의 왕국' 이었다.

악어와 누우, 사자와 얼룩말은 무엇 때문에 목숨을 거는가? 바로 먹이 때문이다. 그게 인간세계에선 돈이다. 누우는 물가로 왔다가 악어에게 먹힌다. 얼룩말은 신선한 풀을 먹으려 하다가 사자에게 먹힌다. 물과 풀과 고기가 바로 돈인 것이다. 돈을 형이하학적인 것이라고 천시하다가 돈은 물론이요 형이상학적인 것까지 다 놓친다는 것을 깨달은 건 오랜 시간이 흐른 뒤였다.

예외는 있지만, 국민소득 높은 나라일수록 예의범절, 인간성, 환경, 치안, 안보, 친절, 철학, 종교 등 정신적이고 형이상학적인 부분도 발달되었다. 많은 사람이 돈을 원수로 여긴다. 이건 잘못이다. 시각을 바꿔야 한다. 돈은 원수가 아니다. 돈을 나쁜 데 쓴다든가 돈을 벌기 위해 남에게 손해를 입힌다면 문제지만 돈 자체가 나쁜 존재는 아니다. 오히려 돈이 없으면 나쁜 일이 자주 생기고 원수 같은 일이 자주 발생한다. 그러니 돈하고 원수 맺지 말고 친구 맺길 바란다. 아니면 사돈 맺든가. 돈보고 '웬수' 라고 하면 돈도 우리를 '웬수' 취급한다. 그러나 돈을 친구로 대하면 돈도 우리에게 친구하자고 따라온다.

돈이 필요한 사람이 간절한 마음으로 기도하고 있다.

"오, 하나님, 저를 도와주십시오. 부디 이번 복권에서 10억이 당첨되도록 해 주십시오. 만약 그렇게만 된다면 그 중의 1할을 떼어 저보다 어려운 사람을 위해 기꺼이 쓰겠습니다. 저의 이러한 마음을 믿지 못하신다면 먼저 1할을 떼고 나머지를 주셔도 됩니다."

하늘에서 기도를 듣고 있던 하나님도 웃음을 터트릴 만하다. 가난을 저주하고 나아가 자신과 가족을 저주하는 사람이라면 이런 기도조차 올릴 수 없다. 반면 유머형 인간은 돈에 대해 솔직하며 생각도 유쾌하다. 겉으로 돈을 저주하면서도 속으로는 애타게 갈구하는 사람들이여! 가식을 벗고 유머형 인간이 되어보라. 혹 지금 가난할지라도 세상의 부가 저 멀리서 일렬종대로 다가오는 걸 느낄 수 있을 것이다.

부자가 되는 3대요소로 실력 · 대인관계 · 운을 말한다. 유머형 인간이 되면 적어도 부자가 되는 3요소 가운데 대인관계가 좋아진다. 그에 따라 점차 돈 버는 실력도 좋아진다. 하늘도 스스로 돕는 자를 돕기에 나중엔 운도 따르게 된다. 유머형 인간에게 이미 돈은 웬수가 아니라 친구요 비서다.

변기 안에 돈이 빠졌을 때

- 10원짜리가 빠졌을 때 – 수수방관
- 500원짜리가 빠졌을 때 – 자포자기
- 1,000원짜리가 빠졌을 때 – 우왕좌왕
- 5,000원짜리가 빠졌을 때 – 안절부절
- 1만원짜리가 빠졌을 때 – 이판사판
- 10만원권 수표가 빠졌을 때 – 사생결단

사나운 상인

식당 손님 이 스테이크 좀 봐요. 엊저녁에 나온 스테이크는 이것보다 두 배나 컸었는데.

웨이터 어젠 어디에 앉으셨죠?

식당 손님 그게 이거하고 뭔 상관이요? 창문가에 앉았는데.

웨이터 창문가에 앉는 손님에게는 큰 스테이크를 드리고 있습니다. 좋은 광고가 되걸랑요.

어떤 손님이 술에 취해 잠에 골아 떨어져 있는 테이블 옆에 웨이터 두 명이 서 있었다. 한 웨이터가 말했다

"벌써 저 손님을 두 번이나 깨웠어. 이번에 깨우면 세 번째야."

"밖으로 던져버리지 그래?" 다른 웨이터가 물었다.

"고렇게는 못하지." 첫 번째 웨이터는 말했다.

"나에게는 수지맞는 일이거든. 깨울 때마다 술값을 계산하는걸."

앞 식당은 사기성 식당이고, 뒤의 식당은 폭력적 식당이다. 둘 다 물 건너 온 유머로서 얄팍한 상술을 풍자하고 있다. 셰익스피어의 소설에 유태인이 많이 등장한다. 이들은 악덕 상인이나 고리대금업을 하는 이들로 많이 묘사되는 데 하나같이 피도 눈물도 없는 사람들이다. 자본주의란 돈을 매개로 하지만 어디까지나 그 주체는 사람이다. 사람의 얼굴을 한 사회주의가 성공할 수 있듯이 사람의 얼굴을 한 자본주의만이 성공할 수 있다.

유대상인을 흉보았지만 우리나라 상인들도 이런 점에선 만만치 않다. 불친절, 피서철 바가지 요금, 비위생적인 식당, 우리가 많이 듣는 단어들이다.

총각 때 겪은 일이다. 쌀이 익지 않아 도저히 밥을 먹을 수 없을 정도였다.

"밥이 안 익었네요."

그러자 식당 주인 아저씨,

"뭐야? 그럴 리가 없지. 줘 봐."

내 그릇을 뺏어서 내 젓가락으로 밥을 한 숟가락 먹더니,

"아무렇지도 않은데 뭘 그래."

그 무례함과 억지에 질려버렸던 기억이 난다. 상인들이 늘어나고 있다. 기존 상인들 외에 명퇴자들, 구조조정 탈락자들이 너도 나도 가게를 차리기 때문이다. 한국 상인들은 불친절을 넘어 사납다고 정평이 나 있다. 그 이면을 보면 그들이 현재의 삶에 불만을 가지고 있기 때문에 그대로 손님들에게 표출되는 것이다. 한국 상인들은 대오각성을 해야 할 것이다.

"옷 좀 입어보세요. 잘 어울리겠네요."

"입어 봐도 되요?"

"그럼요."

그러면서 포장되어 있는 것 다 뜯는다. 심지어는, 상표도 다 뜯어낸다. 손님 입장에선 뭔가 찝찝하다. 난장판이 되었는데, 만에 하나 입기만 하고 안 산다면? 죽으려면 뭔 짓을 못할까? 가방 하나 사려니 저 꼭대기에서 꺼낸다. 꺼내다가 수십 개의 가방이 우르르 쏟아진다. 그 광경을 한 번 보면 제 정신으론 못 사겠단 말 안 나온다. 안 사고 그냥 나오면 별 수모를 다 받는다.

"아침부터 재수 없게."

"소금 뿌려라."

"꼭 돈도 없는 것들이 고급 찾아요."

세상이 변했는데 상인들은 그 변화의 속도를 따라오지 못하고 있다. 게다가 이상한 자존심 내세우는 사람도 많다.

'내가 장사나 해먹으니까 날 무시하는 거야?"

이런 어리광 부린다고 남들이 당신을 위대하게 보아줄 리도 없고 당신 사업이 잘 될 리도 없다. 그게 안타까운 것이다.

"그래요, 가만히 보니 당신 이런 장사나 해먹을 분이 아니군요."

"맞아, 저런 분은 이런 꾀죄죄한 자리에서 장사할 분이 아니라 큰 사업을 하실 분이야."

아저씨!
여기 물 좀 주세요.
"물"이 영어로 뭐야?
"물"은 " Self " 야!
알만한 사람이 왜 그래?

라고 생각할 손님은 한 명도 없다. 오히려 손님들에게 외면 당할 뿐이다.

"저러니 누가 이 가게에 온담."

"자존심 내세우려면 뭐 하러 장사하는 거야."

자기 자존심 지키기에만 투철한 정신으로 한 3년 맹렬히 지속하면 사업도 확실하게 망하고 대인관계도 엉망이 될 수밖에 없다. 내 시각부터 바꾸도록 하자. 치킨 집으로 한 몫 잡으려면 손님과 치킨과 생맥주가 다 같이 예뻐 보여야 한다. 치킨을 보면서도 웃어라. 옷 벗고 벌거벗은 모습이 웃기지 않는가? 목 없는 미녀에다 똥꼬까지 다 보이고. 황금색 생맥주 한 잔에 감사하라. 그거 한 잔이면 갈증과 근심이 다 날아가지 않는가? 유머형 인간은 구멍가게를 해도 감사의 웃음, 기쁨의 노래를 부른다. 성공하는 사람과 실패하는 사람은 딱 한 가지 차이다. 인생이 재미있는 사람과 지겨운 사람.

헌법 위에 떼법

"우리 사회에서 제일 바르지 못한 사람이 누구입니까?"

국민들에게 물었다. 그러자 하나같이

"정치인이요"

정치인(政治人)이란 단어 안에 바를 정(正)자가 들어있다는 건 참 지독한 아이러니다.

"우리 사회에서 법(法)을 제일 안 지키는 사람은 누구입니까?"

국민들은 역시 이구동성으로

"법조인(法曹人)이요."

입법(立法)기관의 최고 권력자들이 법을 안 지키는 것 역시 아이러니다. 나랏일엔 관심이 없고 지역이나 당리당략에 관심 있는 사람을 지역의원이나 당의원이 아닌 나라 국을 넣어 국회의원(國會議員)이라 부르는 것도 우스꽝스럽긴 마찬가지다.

이러니 급기야는 국민들이 법을 우습게 아는 지경까지 온 것이 아닌가? 은행 중의 은행인 한국은행의 권위를 누구나 인정해주듯, 법 중의 법인 헌법은 사실 대단한 것이다. 법치주의 국가에서 국가의 근본 아닌가? 법을 만드는 의회의 수장인 국회의장과 법의 수호자 대법원장, 헌법재판소장이야말로 나라의 질서를 지키는 마지막 보루다. 그런데 어찌하여 헌법보다 더 위에 떼법이 등장했을꼬. 높은 사람들 대부분 뒤가 구린 고로 그 약점을 아는 밑에 사람들이 떼를 쓰면서

"떡고물 나도 줘, 나도 줘. 같이 먹자"

이런 걸 들어줄 수밖에 없으니 바야흐로 작금의 대한민국은 목소리 큰 놈이 장땡이요, 집단으로 떼쓰는 사람이 '로얄스트레이트플러시' 인 세상으로 변했다.

그런데 칼 잘 쓰는 사람 칼로 망한다고 떼 잘 쓰는 사람 떼로 망하는 법. 논리나 합리, 이치와 명분, 경우와 도리 안 지키고 잘되는 나라 하나 없다. 역사를 상고해 봐도 임금이 모자라고 멍청해서 권력이 약해지면 신하들이 발호하게 되고 고생하는 건 백성뿐이다. 무인시대도 아니고 야인시대도 아니고 명색이 민주공화국에 사는 우리가 떼를 선호한대서야 말이 되는가?

건설 현장에서도 떼쓰고, 접촉사고다 떼쓰고, 학교문제, 민원이다, 떼쓰고. 2등 한 놈이 1등 하겠다고 떼쓰고. 심판이 맘에 안 든다고 떼쓰고. 가만 보면 윗물이 맑지 않은 나라일수록, 부정부패가 난무하는 나라, 리더십이 부족한 위정자가 있는 나라일수록 떼쓰는 모습이 많다.

유머형 인간은 외유내강을 추구하는 사람이다. 자신을 추궁할 망정 남에게는 부드러운 사람이 유머형 인간이다.

구약성경에 나오는 야곱은 떼를 썼다.

"나에게 축복을 주십시오. 내가 부자 되고 성공하고 건강하고 복 받게 해주세요."

밤새 떼를 쓰며 상대의 발목을 잡고 늘어졌다. 그 상대는 바로 이스라엘 민족의 신인 여호와였다. 사람에게 떼쓰는 모습은 추하다. 그러나 자신의 신 앞에서 울부짖고 떼쓰는 모습은 세상에서 제일 아름답다. 이스라엘 속담에 '신에게 가선 울고, 사람 앞에서 웃어라' 는 말이 있다.

유머형 인간은 남이 아니라 스스로에게 책임을 묻는 사람이다. 유머형 인간이 늘어남에 따라 떼법도 없어지길.

매력 없는 남자

남자친구의 군 입대가 정확히 보름 남았다. 하루하루가 너무나 짧고 아쉬운 시간이다. 모처럼 만나러 온 남자친구를 밤 기차로 보내면서 배웅하는 길에 물었다. "그냥 내일 가면 안 돼?"

"안 돼! 낼 시골 가서 아버지도 뵈야 하고……."

내 한마디면 다음 날 가고도 남았을 녀석인데, 어쩐지 그날은 완강히 거절했다. 그렇게 기차역에 가서 겨우 남은 밤 11시 좌석 기차표를 하나 끊고 손 흔드는 남자친구를 뒤로 한 채 버스에 올라탔다.

멍하니 창밖을 보며 한 정거장을 지나서였다. 거칠게 숨을 몰아쉬며 그가 버스에 올라탔다. 너무나 헐떡이는 숨을 고르지도 못한 채, 내 팔을 강하게 부여잡았다. 가슴이 터질 것 같았다.

무슨 말을 하려는 듯 나를 보는 그였다. 뭐라고 말할까. 이 많은 사람들 앞에서 사랑한다고? 아님 기다려 달라고? 나를 보기 위해 한 정거장 앞서던 버스를 따라잡은 것이다. 죽을 듯이 숨을 몰아쉬며……

사람들의 시선이 우리에게 집중되었고 그가 천천히 입을 떼었다.

"헉헉… 기…차…표…내…놔."

남자는 3M이 필요했다고 했든가? 무드(mood), 매너(manner), 머니(money). 참 무드 없는 남자요 멋대가리 없는 젊은이다. 여성의 마음을 몰라도 너무 모른다. 남자에게 인생이 승부라면 여성에게 인생은 이벤트다. 이벤트라 함은 인생의 한 컷마다 재미와 감동, 흥분과 보람을 느끼려 한다는 말이다. 우뇌형 인간, 감성형 인류의 특성이 원래 그렇다. 남성은 일반적으로 일에 함몰되어 여성의 미묘한 감정에 둔감하기 쉬운데 이래서야 곤란하다. 하여 여기 남녀의 차이를 소개하니…….

1. 남자의 "사랑해"는 "현재는"이라는 단서의 생략.
   여자의 "사랑해"는 "당신이 사랑하는 한"이라는 조건의 생략.
2. 남자는 경험으로 여자를 알지만, 여자는 본능적으로 남자를 안다.
3. 여자는 심리학의 원서, 남자는 서툰 번역서.
4. 남자의 사랑은 반복충동형, 여자의 사랑은 점층환상형.
5. 여자는 '모를수록 좋은 일' 을 너무 많이 알고
   남자는 '꼭 알아두어야 할 일' 을 너무 모른다.

영화, 드라마에 보면 얼마나 여성에게 잘하는 사람이 많은가. 그러니 여성을 보호해주지도 못하고 마음을 알아주지도 않는 무미건조한 남자를 요즘 어느 여자가 신뢰하랴. 여기서 보호라 함은 골목길의 불량배로부터 지켜주는 육체적 보호는 물론이요, 가난으로부터 지켜주는 경제적 보호, 외로움으로부터 지켜주는 심리적 보호, 남들의 무시로부터 지켜주는 사회적 보호까지 아우른다.

자, 이런 매력 빵점의 지겨운 남자를 매력 만점의 삼빡한 남자로 변환시켜주는 요술 방망이가 있으니 바로 유머센스(humor sense)다. 유머형 인간은 말투가 다양하다. 현관에선 부드럽게 침실에선 감미롭게, 유머형 인간은 눈빛도 천화만변. 일에 몰입할 땐 검은 바위처럼 그녀 말을 들어줄 땐 푸른 호수처럼. 여자의 변신은 무죄라지만 이제 남자도 변신하지 않으면 곤란하다. 세상을 재미있다고 생각하는 사람다운 말투와 눈빛을 찾아라. 사실 이렇게 이리 하라 저리 하라 말하면 부담 주는 것 같아 미안한 면도 있다. 반발할 남성도 있을 것이다.

“아니, 먹고 살 기도 바쁜데 무슨 말라붙은 촉촉한 눈빛에, 무슨 개뼉다귀같은 부드러운 말투요?”

물론 맞는 말이다. 한국 남자들 고생 많다. 만원버스 시달리며 출근해야지, 실적 올려야지, 상사 눈치 봐야지, 돈 벌어오는 것만 해도 장하다. 그러나 결론은 똑같다. 변신하자는 것이다. 유머형 인간, 매력있는 남자가 된다고 해서 경제전선 더 힘들 건 없으니까. 유머하고 웃는다고 더 돈이 든다거나, 힘이 든다거나, 영양소가 파괴된다거나, 두뇌세포가 노화된다거나, 장이 꼬인다거나 하는 일은 절대 없다. 오히려 그 반대다. 신나고 재미있게 살면 가정이 풀리고, 가정이 풀리면 직장생활도 풀린다. 이를 우리 조상님들은 이미 알아서 우리에게 다섯 자 귀한 비밀을 남겨주셨으니 바로 가화만사성(家和萬事成)이라.

잔소리만 해대는 여자

직장에서 실직을 당하자 영진이는 여기저기 이력서를 내보기도 했으나 일자리를 구할 수가 없었다. 그래서 궁한 김에 어떤 자리라도 주어지면 일하겠다고 어느 공장의 경비직에 이력서를 냈다. 그는 내성적이며 다소 깡마른 편이었다. 그래서 그날 공장 사장에게 직접 면접을 받게 되었는데 그 사장은 영진이의 머리끝에서부터 발끝까지를 훑어보고 나서는 말했다.

"사실, 우리가 필요로 하는 사람은 경계심이 강하고, 밤새껏 눈을 붙이지 않고, 누구에 대해서나 의심이 많고, 개미 발자국 소리도 놓치지 않으며, 담이 센데다가 인정에 약하지 않으며, 때론 큰 소리 질러서 상대를 압도할 수 있는 사람이어야 합니다."

그러자 눈을 깜빡거리며 가만히 듣고 있던 영진이가 하는 말,

"사장님, 그렇다면 저보다 제 아내를 보내겠습니다."

전원주택에 살다보니 참 심심하다. 동네에 노래방도 없고 도서대여점도 없다. 그래도 알고 보면 더 재미있는 게 바로 시골 주택이다. 서재 기름값을 아끼기 위해 주로 나무를 때는데 요게 아주 참기름처럼 고소하게 재미있다. 요즘은 시골도 다 기름을 때기 때문에 나무가 얼마든지 있다. 뒷산에 올라가면 간벌을 위해 면에서 베어놓은 아름드리나무가 철철 넘친다. 나무를 적당한 크기로 베서 지게에 척 올려놓고 쉬엄쉬엄 내려와 부린다. 다시 도끼질을 해서 가지런히 처마 밑에 싸놓으면 끝. 굵은 놈은 굵은 놈대로 잔챙이들은 잔챙이대로……. 굵은 놈은 땔감으로 왔다다. 잔챙이들은 불쏘시개로 쓴다. 잔챙이는 그 역할 상 많이 필요 없다. 산에서도 잘 안 가져 올 뿐 아니라 지금 마당에 있는 것도 너무 많다. 역시 굵은 놈이 젤이다.

내가 살고 있는 이천 백사면 산수유축제 관계로 올해는 시에서 간벌팀을 보내 가지치기를 하여 우리도 나무를 몇 차나 공짜로 받았다. 역시 굵은 놈들은 인기다. 그러나 잔챙이는 별로다.

"아, 잔가지는 너무 많다니깐, 기왕이면 다홍치마라고 그저 굵은 놈으로 좀 갖다 주세요."

웃으면서 굵은 놈 위주로 실어주는 총각들에게 설탕 듬뿍 넣어 끓인 커피를 한 잔 씩 주며 굵은 것과 관련된 남자들만의 이런 농담 저런 농담을 즐겼다.

나무를 정리하면서 문득 깨달음을 얻는다. 우리 인생에서도 굵은 것이 너무 부족한 것은 아닌가? 굵은 행동, 굵은 소리는 보고 듣기 힘들고 맨 잔 행동 잔소리들. 상대 감정을 헤아리며 하는 소리는 굵은 소리요, 헤아리지 않고 말하면 잔소리다. 내 이성으로 걸러진 소리는 굵은 소리요, 걸러지지 않은 채 그냥 말하는 건 잔소리다. 두 번 세 번 숙고하여 말하는 소리 굵은 소리지만 생각나자마자 0.1초 내에 자동 발사되는 소리는 잔소리다. 잔잔한 미소를 섞은 약간 낮은 톤의 목소리는 굵은 소리지만 이마에 내 천(川)자 짓고 찢어지는 톤은 잔소리다. 대략 이런 소리들이 잔소리에 해당한다.

"그걸 거기다 두면 어떡하니, 위층으로 가져가야지."

"그게 네 꺼니?"

"너, 동생 때리지 마."

"내 말 안 들리니?"

"가만히 좀 있어라. 엄마가 딴 사람하고 이야기하는 거 안 보여?"

"엄마 방해하지 말라고 분명히 말했지."

"너 여태 잠자지 않고 뭐하니?"

"어서 잠자리에 가서 누워."

"아침부터 테레비 보는 거 아니다."

"책 좀 읽어라, 책 좀."

"소리 좀 줄여."

"전화 그만 끊어라."

"네 친구한테 다음에 다시 건다고 그래."

"빨리 좀 해라."

"빨리 해! 너 때문에 모두들 기다리고 있잖아."

"네 방 청소 좀 해라."

어디서 읽어 본 글 같은데 하고 느끼는 분이 있는지? 이상의 잔소리는 '내 영혼의 닭고기수프' 중 '엄마의 일생'이란 글에 나오는 잔소리 목록 중에서 평소 우리 딸이 많이 듣는 잔소리를 발췌한 것이다. 외국이나 한국이나 잔소리 내용이 이렇게 똑같을 수 있나 놀랐다.

제목은 여자의 잔소리라 했으나 주위에 보면 남성도 잔소리 스타일이 은근히 있다. 실속도 없으면서 남의 속만 뒤집는 잔소리는 이젠 추방하자. 잔소리는 일견 말하는 이에게 카타르시스를 준다. 일종의 배설이기 때문이다. 그러나 배설물을 받는 상대 입장에선 기분 좋을 리 없다. 음식물 쓰레기를 남에게 던지면 싸움이 나지만 이를 재처리해서 텃밭용 퇴비로 바꾸어 전하면 칭찬받는다. 유머형 인간은 여유가 있다. 상대 얘기 끝날 때까지 들어주고 한 3초쯤 지나 자기 의견 말하는 넉넉한 심성의 소유자다. 쓰레기를 퇴비로 만들어 포장까지 해서 전하는 사람이다.

3 _ 나는 이렇게 유머형 인간이 되었다

- 이렇게 살 수만 있었더라면
- 서대문구 대현동 산 9번지
- 내 친구의 8할은 외로움
- 고무줄 자르기와 치마 올리기
- 나를 바꾼 말 한마디
- 처음 받아 본 큰 박수
- 희망을 잃은 사람은 죽은 사람이다
- 유머형 인간으로
- 유머 대가들을 찾아다니다
- 너무너무 진짜 감사하다

이렇게 살 수만 있었더라면

지금도 어렸을 때가 생각난다. 아침에 일어나면 제일 먼저 어머니 얼굴을 본다.

"우리 아들 잘 잤어?"

"엄마? 아빠는?"

"출근하셨단다. 아까 네 이마에 뽀뽀하고 나가셨는데 몰랐어?"

눈을 비비며 2층 베란다에 나가면 저 멀리 한강이 보인다. 당시 그러니까 60년대만 해도 아직 경제개발이 이루어지기 전이라 서울에 높은 빌딩이 거의 없을 때라 베란다에만 서도 아주 멀리까지 볼 수 있었다.

일요일엔 엄마와 교회에 나갔다. 엄마는 소프라노 성가대원이자 꽃꽂이 담당이셨다. 내가 봐도 엄마는 아름답고 기품이 있었으며 목사님을 비롯한 많은 사람들에게 수고한다는 칭찬을 많이 들었다. 하루 종일 내 공부방에 있는 동화집(소공자, 소공녀, 왕자와 거지, 인어공주 등이 나오는 세계아

동문학 전집이 두질, 흥부와 놀부 등이 나오는 한국아동문학전집이 한 질, 우주의 신비, 인체탐구 등 아동과학전집이 한 질, 그리고 고우영삼국지만화 한 질, 그 외에도 여러 책들이 있었다.)을 보고 친구와 놀다 만화방을 찾아 다녔다.

친구들과 아이스께끼를 사먹기도 했는데 돈은 주로 내가 냈다. 물론 엄마 몰래. 엄마는 길거리 식품은 비위생적이라고 질색을 하셨다. 저녁나절 집에 오면 아빠가 들어오셨고 가정부 누나는 저녁하기에 바빴다. 우리 식구는 엄마의 피아노연주에 맞춰 '즐거운 곳에서는 날 오라 하여도…… 내 쉴 곳은……' 이렇게 진행되는 노래 '즐거운 나의 집'을 불렀고, 아빠가 신이 나면 '배를 저어가자, 험한 물결 넘어…….' 신나는 곡조의 노래 '희망의 나라로'를 부르셨다.

당시엔 귀했지만 아빠는 내게 자그마한 목재침대를 사주셨다. 나는 너무 행복했다. 폭신한 그 쿠션을 느끼기 위해서 일부러 문에서부터 뛰어 약간 점프를 한 후 침대에 떨어지곤 했다. 아빠는 유머가 많으셨는데 약간 돌려 말하는 방법을 쓰셨고, 엄마는 미소가 예뻤는데 웃을 때 백옥같이 하얀 얼굴에 살짝 보조개가 너무 매력적이었다. 내게 부족하거나 불편한 건 없었다. 고기만 먹고 싶은데 야채까지 골고루 먹으라는 엄마의 잔소리만 아니라면…….

어릴 때부터 유머와 웃음을 충분히 접한 난 햇빛을 충분히 접한 해바라기가 방긋 웃음을 터트리듯 자연스럽게 유머형 인간이 되어가고 있었다.
흐흐…헤헤…

이랬으면,
이렇게 살 수만 있었더라면,

얼마나 좋았을까, 그러나 지금까지의 이야기는 모두 어린 시절 내 바람일 뿐이고 현실은 전혀 달랐다.

서대문구 대현동 산 9번지

내가 기억하는 어린 시절은 두 가지, 추위와 욕설로 압축된다. 내 고향은 서울 서대문구 대현동이었다. 이대전철역에서 이대정문까지 나가다 보면 우측 언덕배기 동네였는데 정확히는 서대문구 대현동 산9번지였다. 언덕이라기엔 좀 크고 산이라기엔 약간 적은 자그마한 산으로 이루어진 동네였는데 꼭대기를 넘으면 북성교회와 북성국민학교가 있는 북아현동이 된다. 지금은 전망 좋은 아파트촌으로 변신했지만 당시만 해도 우리 동네는 형편없는 판자촌이었다. 꼭 게딱지 같은 집과 집이 하나의 벽으로 붙었는데 말 그대로 각목과 판자, 비닐과 방수콜타르 지붕재료로 대충 얼기설기 엮은 집들이었다.

방에 하나씩 붙은 창문은 꼭 어른 손바닥 두개 정도의 크기였는데 매서운 겨울바람을 이기기 위한 지혜였다고 생각한다. 위풍이 얼마나 매서웠는지 밤에 물그릇을 머리맡에 놓고 자면 아침에 꽁꽁 얼어 있었다. 벽지는 항상 솜옷 입은 양 붕 떠 있었고, 자꾸 곰팡이가 생기는 이유로 신문지로 도배했다가 벽지로 도배했다가 수시로 손을 대야만 했다. 천정은 더욱 심각했는데 쥐들이 돌아다니는 소리가 엄청 컸다. 하루는 쥐가 오줌을 싼 부분의 벽지가 축축해져서 구멍이 난 적이 있는데, 쥐 다리 하나가 그 구멍 속으로 삐죽 나왔던 적이 있다. 저 놈의 쥐새끼가 방으로 떨어져서 내 고추를 물면 어떡하지, 말도 안 되는 그러나 동시에 개연성이 충분한 걱정으로 식은 땀을 흘리며 악몽을 꾸곤 했다. 쥐가 돌아다닐 때마다 어머니는 빗자루를 들고 지붕을 쿡쿡 찌르면서 '이눔의 쥐새끼', '이눔의 쥐새끼' 하고, 마치 쥐가 인간의 언어를 알아듣는 것처럼 욕을 퍼부었다.

동네 주민들의 구성 분포는 다양했다. 원래 호박밭이었던 관계로 원주민은 별로 없고 대부분 외지인이었다. 특히 이북에서 피난 온 사람들이 많았다. 난리가 나자 이북에서 대구로, 9.28수복으로 다시 고향이 있는 이북으로, 일사후퇴 때 다시 부산으로, 53년 휴전 후 다시 올라와 이곳 산9번지에 터전을 잡은 사람들이었다. 고생을 많이 한 사람들이라 아주 억척스러웠다.

"야레 와 이라나 간나 새끼. 빨리 말하라."

우리 어머니같이 남쪽이 고향인 사람도 많았다. 우리 동네는 팔도 언어의 집산지였다. 왜 그래? 라는 말도 출신지에 따라 다양하게 나왔다.

와 그러는 기야? 와 그러지비? 와 카노? 왜 그런다? 워찌 그런다요 금메?

수십 년 후 유머강사가 되어 말투와 사투리를 연구하는데 이 때의 언어 습득이 큰 도움이 되었다.

장마철 비가 퍼붓기라도 하면 온 동네가 떠들썩했다. 그나마 세찬 바람에도 견딜 수 있었던 것은, 워낙 지붕이 낮아서이다. 바람 입장에서 보면 도저히 무게중심을 강타할 수 없었던 것이다. 집이 무허가 난립으로 지어지다 보니 골목길도 꾸불꾸불 미로였다. 두 사람이 어깨를 나란히 하고 가기에도 턱없이 좁은 길이었고 걸핏하면 막다른 골목이었다. 도둑 입장에선 참 생산성과 효율성이 떨어지는 동네였으리라. 가져갈 것 없지, 경찰과 맞닥뜨리면 도망갈 데도 없지. 여자는 물론이요, 남자들도 돈 한 푼에 악다구니를 하며 목숨 걸고 싸우는 스타일이었다.(단어를 착각해서 쓴 게 아니다. 당시 아줌마들은 남자보다 더, 훨씬, 단연코, 분명히, 확실히, 결단코 아저씨들 보다 무서웠고 강했다. 남자들은 간혹 술 먹고 해롱거리거나 장기판에 앉아 시간을 죽이는 모습을 보였지만 여자들은 오로지 가족 먹여 살리려 죽어라 뛰었다.)

내 친구의 8할은 외로움

어머니도 그랬다. 우리 식구는 단 두 명으로 구성되었는데 어머니가 가장 겸 돈 벌어오는 역을 맡았고 난 집 지키고 책 보고 학교에 다녔다. 참 외로웠다. 지금이야 어머니 외에도 여우같은 마누라와 토끼 같은 딸이 있지만 결혼하기 전엔 와이프도 없었다. 어머니는 날 키우기 위해 안 해 보신 게 없다. 주로 보따리 장사를 하셨는데 그릇, 가방 등을 주로 취급했다. 양은그릇, 유리그릇, 학생용 어깨에 메는 가방, 손으로 드는 가방, 각종 옷가지 등을 서울에서 준비해서 농촌으로 가져갔다. 주로 신촌 역에서 출발 파주, 일산까지 내다 팔았는데 저녁에 귀경할 때는 농촌 특산품인 조, 옥수수, 수수, 콩, 팥 등을 가지고 와 동네 사람들에게 팔았다. 그러니까 김주영 소설 아라리난장에 나오는, 지금의 한중(韓中)간 보따리 무역과 비슷한 일을 한 셈이다. 육체적 수고에 비해 수입은 적었지만 그나마 우리 식구 먹고 살 수 있었던 것은 올 때나 갈 때나 빈 보따리는 용납하지 않았던 실용주의적이고 효율적인 어머니의 장사 철학 덕이 아닌가 생각된다.

때는 새벽같이 장사를 나가셨는데 그 때는 대부분 쪽지가 남겨있었다. "진배야, 엄마 장사 나가니까 일어나서 늦지 않게 학교 가라. 도시락은 뚜껑 덮어서(당연한 내용까지 다 적어놓으셨다.) 가져가라, 아침밥은 이불 속에 있다."

쪽지에 일어나라고 써있는 게 영향을 끼쳐선지 난 늦잠을 잔 적은 거의 없다. 일어날 때 어머니가 없으면(매일이지만) 마음이 힘들었다. 지금 생각해보니 사람이 잠이 들거나 깰 무렵이 가장 예민한 시간이라 그랬던 것 같다. 유난히 외로움과 무서움을 많이 타는 어린 시절의 내게, 혼자 밥 먹는 것은 의금부 형틀 고문에 다름없었다. 어린 시절 제일 부러운 것은 옆집(정확히는 옆방이었다. 당시 한 집에 방 다섯 개면 방 네 개는 세를 주었다.) 식구들이 옹기종기 모여앉아 보글보글 된장찌개, 지글지글 김치찌개를 먹는 광경이었다. 매일 혼자서 그 것도 식은 밥을, 말 할 사람도 없이 혼자 먹는다는 건 아무리 생각해도 불공평했다. 그러나 어디 불평을 털어놓을 사람도 없었고 그런 숫기도 없는 난 그냥 꾸역꾸역 먹었다. 어쩌다 밖에서 얼쩡거리면 흥엽이 엄마(당시 집주인)가

"진배 아이가? 퍼뜩 들어오니라, 엄마 아직 안 왔노? 같이 무라."(경상도분인지 확실한 기억은 가물가물하다.)

난 눈물이 핑 돌 정도로 반가우면서도 단번에 들어가지 못하고 서 있었는데 "들어 오라카이." 그때서야 들어가 한 쪽 구석에 끼여 숟가락을 들었다. 아, 이 얼마나 행복한 시간인가? 난 그 때 생각했다. 형제끼리 싸우는 애들이 세상에서 제일 바보라고.

고무줄 자르기와 치마 올리기

혼자 밥 먹는 것만큼 힘든 건 아니지만 등교 길에도 복병이 있었다. 아까도 얘기했지만 당시 골목길은 사람하나 겨우 지날 정도로 좁았는데 학교 거의 다 가서 마지막 골목길에 마구간이 하나 있었다. 당시 그러니까 60년대만 해도 말은 지금의 트럭이나 중장비처럼 운송의 중요한 역할을 감당했다. 잘 키운 말 한 마리 열 자식 안 부러운 시절이었으니, 당연히 말 주인은 재산목록 1호인 말을 금이야 옥이야 먹이고 재웠는데, 이 놈이 아침에 어린 학생들 지나는 골목길에 갑자기 머릴 쑥 내밀며 "이히힝" 소릴 내곤했다. 소리보다 더 무서운 것이 누런 이빨이었고, 그 이빨보다 더 무서운 것이 흘기듯 보는 눈이었다. 그 머릴 피해 통과하는 것은 마치 인디아나 존스에서 왜 있잖은가, 양쪽 벽에서 갑자기 튀어나오는 독창 피하기 관문을 통과하는 것만큼이나 힘들고 숨 막히는 일이었다. 하루 이틀도 아니고 수년 동안 그 마구간 길을 통과한다는 것은 어린 초등학생들에겐 너무 벅찼다. 우리들은 꾀를 냈다. 입구에 몰려 있다가 여러 명이 동시에 소릴 지르며 뛰어가기도 하고, 말이 머리를 안으로 하는 순간을 기다리다가 뛰어가기도 했다. 여자 애들은 발자국 소릴 안 내려 발끝으로, 말하자면 예술의 전당 공연 백조의 호수에 등장하는 발레리나처럼 발끝으로만 스텝을 하듯, 걷기도 했다. 말 싫어했던 내가 지금은 말로 먹고 살고 있으니.

학교는 두려움의 장소이자 기쁨의 장소였다. 두려움의 장소라 함은 숙제검사, 시험, 회초리를 말함이고, 기쁨의 장소라 함은 이틀에 한 번 씩 배급 차 나왔던 원조 옥수수 빵(이 빵으로 인해 그 후 오랫동안 미국이 세상에서 제일 고마운 나라란 생각을 했다.), 여럿이 어울려 먹는 식사, 학교에서 보는 예쁜 여자애들 때문이었다. 우리 학교(대신초등학교)는 당연히 당시는 대신 국민 학교였다. 남들은 일제의 잔재라 해서 국민 학교란 단어를 폄하하지만 너무 오랫동안 정든 단어라 그런지 지금도 누가 라디오에서 초등학교 대신 국민 학교라 하면 훨씬 정답다.

난 참 내성적이었는데 어머니와 단 두 식구란 환경적 영향이 가장 클 것이다. 이름도 내성적이다. 김진배에서 받침 빼면 기지배, 얼마 전에 동창회에서 만난 친구가 자신이 맨 처음 붙인 거란다. 짓궂은 남자 애들은 여자애들 고무줄 놀이하는 데 가서 칼로 고무줄을 자르고 도망가곤 했다.

"어어~ 야아~ 미친 놈, 너 최우용, 선생님한테 이를 거야!"

여자애들이 악을 쓰며 펄펄 뛰지만 악동들은 그런 모습이 외려 더욱 흥을 돋군다는 듯 돌아보며 메롱 나잡아 봐라 한다. 이런 모습이 내겐 낯설었다. 왜? 난 너무 수줍고 내성적이었으니까. 남자애들은 또 여자애들에게 슬그머니 다가가 치마를 올리곤 했다.

죽기 전에 꼭 한번 해보고
싶은 게 있어...할멈...
아스케키!
근데 영 재미가 없네 그려....
으잉?

"끼아악~~."

비록 내가 한 짓은 아니지만 남자애들의 용기는 정말이지 대단하다고 느꼈다. 난 아마 꿈에도, 죽어도 저런 행위를 못할 것이라는 것을 직감적으로 알았다. 왜? 내겐 그런 짓, 좋게 말하면 적극성, 도전정신, 나쁘게 말하면 망나니짓을 할 만한 배짱이 없었으니까. 보기만 해도 난 가슴이 두근거렸다. 그러면서도 친구 놈들의 행위엔 이해 안가는 점이 많았다.

놈들은 치마를 들자마자 도망갔다. 막상 치마 속을 보는 것은 나 같이 주위에 포진해 있던 측면 관찰자였다. 죽 쒀서 개 준다더니. 아니, 보지도 않을 거면 뭐 하러 치마를 드나하는 생각이 들었다. 치마를 드는 목적이 과연 무엇인지 제대로 인식하지 못한 놈들의 행동일체가 우스꽝스러웠다. 전혀 합목적성에 반(反)하는 행동을 하다니…….

맹세코 초등학교 6년 동안 그 두 가지(고무줄 자르기와 치마 올리기)를 단 한 번도 한 적이 없다. 아, 돌아갈 수 없는 옛날이여. 만약 돌아갈 수 있다면 그 두 가지를 한 번쯤은 해보고 싶다. 그래서 악동들의 대열에 합류하고 싶다. 당시 나만큼이나 내성적이었던 박기홍도 내 웃음의 비밀을 알았을까 궁금하다. 중견건설기업 임원인 박기홍은 지금도 조용하고 점잖다. 지난 번 동창회에서 내가 라틴댄스를 살짝 보여주자 깜짝 놀란다.

"어허, 진배가 이런 모습을……."

나를 바꾼 말 한마디

'한강을 굽어보는 응암 언덕' 에 위치했던 중학에서도 난 내성적이고 수줍은 아이였다. 얼마나 만만하게 보였는지 한 친구가 시간만 나면 괴롭힌다. 때리고 찌르고 치고……. 하루는 누적된 불만이 비등점까지 도달했고 난 마침내 뇌관에 불이 붙은 상태로 놈에게 소릴 질렀다.

"어이 씨, 한번 붙자."

반 친구들이 모두 구경을 하고 싸움 짱(당시엔 짱이라 안하고 싸움 1등이라고 했다.) 친구가 심판을 보는 가운데 이루어졌다. 그런데 싸움이 끝나고 이긴 아이가 서서 쓰러진 아이를 바라보고 있는데 서있는 아이가 나였다. 난 이기고도 억울했다. 아~ 차라리 센 놈한테 맞았으면 억울하지나 않지. 저런 바보 같은 놈한테 6개월 동안 당했다니…….

중학교시절 내내 어두운 추억만 있는 건 아니었다. 신촌 로터리에서 서강대 쪽으로 가다보면 좌측 골목 노고산동에 신촌중앙교회가 있었다. 동네친구이자 초등학교 동창인 차익지의 어머니의 전도로(정확히는 반복되는 반강제성 유도심문으로) 나가게 되었다. 거기서 날 친근하게 환영해주었던 고등학교 누나들에게 쏙 반했다. 한 사람은 이름이 기억 안 나는 이 아무개였고 또 한 사람은 친구사이인 김순신 선배였는데 둘 다 정말 너무 예쁘고 너무 착했다.

"이순신 장군과 이름이 비슷한 김순신이에요. 호호."

혼자 외롭게 지내던 내게 갑자기 누나가 둘이나 생겼으니 얼마나 좋았으랴?

고등학교에 들어가자마자 이 수줍음과 쑥맥 이미지를 벗어나고 싶었다. 교회 누나들의 웃음 에너지가 날 변화시킨 것이었다. 난 1학년 때부터 오버를 했다. 평상시 보다 말의 스피드는 1.5배 정도 빨라졌고, 볼륨은 약 2배, 말의 양은 3배가량 늘었으며, 말끝을 강하게 발음하여 차두리가 상대 팀 수비수를 압박하듯 상대방 달팽이관과 고막을 압박했다. 선생님 심부름은 적극 도맡았으며, 수학시간에 선생님이 아는 사람! 하면 1차로 나가 문제를 풀기도 했다. 성격이 확실히 바뀐 계기는 김태석의 언급 때문이었다. 당시 우리들은 주말이면 북한산, 도봉산, 천마산 등 서울 주변의 산에 놀러가곤 했다. 여학생들을 잘 사귀는 능력은 남자애들에겐 최고의 재능이요, 무기였다. 우린 서로 돌아가며 한마디씩 여자애들에게 말을 걸었고 다른 친구들은 그 모습을 바라보았는데, 말하자면 영업사원들이 롤플레잉 하는 것을 팀장과 팀원들이 관찰하고 평가하는 것과 비슷했다. 그런데 이 광경을 다 보았던 김태석이가 우리 텐트로 돌아와선 정색을 하고 말했다.

"에, 내가 관찰해 본 바에 의하면 진배의 말이 제일 뛰어나다."

다른 애들이야 어떻게 생각했는지 모르지만 난 그 순간 너무 기뻤다. 드디어 오랜 동안 나를 짓누르던 수줍고, 쑥맥같은 이미지를 벗어버리는 순간이었다. 마치 번데기에서 벗어난 호랑나비가 하늘로 비상하는 기분이라고나 할까, 이무기가 물을 만나 용이 되어 승천하는 기분이라고나 할까.

처음 받아 본 큰 박수

광화문 소재 대성학원에서 재수라는 통과의례를 거친 후 당시 성동구 모진동 (지금은 광진구) 소재 건대에 들어갔다. 대학은 어둡고 습했던 내 어린 시절을 보상받기에 충분했다. 응원부 시절은 아마 내 황금기였을 것이다. 야구시합이 있는 날이면 동대문 운동장에서 목이 터져라 응원을 한 후 대학본부에서 나온 약간의 수고비로 우리는 목을 축였다. 정문에는 우리 아지트가 있었다. 약간 퇴폐적인 분위기의 술집이었는데 우리는 거기에서 소주, 맥주, 동동주를 마셨다. 70년대 후반인 당시엔 총학생회 대신 학도호국단 체제였으며, 유신체제의 서슬이 시퍼럴 때여서인지 투쟁이나 데모는 전혀 없었고 대학 축제때에도 대중가요를 부르며 놀았다. 불과 몇 년 후 서울의 봄 때의 대규모 시위는 상상조차 할 수 없었다. 지금 생각해 보면 약간은 퇴폐적이고 향락적인 그리고 자포자기적인 시대였다. 우리가 좋아했던 노래는 엘비스프레슬리, 비틀즈, 사이먼앤 가펑클의 노래였다. 스탠바이 유어맨같은 팝송도 유난히 기억에 남는다. 가요중엔 이장

희, 송창식 노랠 자주 불렀다. 정문 지나 조금 나가면 화양리가 나오는데 당시 학교 주위에선 최고의 번화가 중 하나였다. 응원부 주최로 '도깨비 잔치'란 축제를 열었다. 서울에 있는 각 나라 대사관의 협조를 얻어 세계 민속춤도 선보였는데, 나는 판토마임을 선보였다. '원한 맺힌 화장실'이란 제목이었는데 화장실에 도무지 먼저 들어간 사람이 나오질 않아서 생기는 에피소드였다. 사람들은 박수를 치고 폭소를 터뜨렸다. 태어나서 내 행위로 인해 그렇게 큰 박수를 받아보긴 정말 처음이었다. 너무 기분이 좋았다. 유치한 표현 같지만 내 속에 있는 끼를 다 불태웠다. 몇 달 후 신입생 환영의 밤에도 초청을 받아 다시 한 번 사람들을 웃겼다. 그 날 그 체험 후로 유머와 웃음에 눈을 뜨게 되었다.

호사다마라 할까 화창한 봄날을 구가하는 내 인생 저 한 편에선 시커먼 먹구름이 다가오기 시작했으니. 동아리활동을 하며 유머와 웃음의 맛을 느끼는데 비하여 학업성적은 반대로 내리막을 질주했다. 등록금은 어머니가 빚을 내어 마련하는 지경이었다. 자존심 때문에 공부하기 싫었다. 이렇게 능력도 있고 카리스마도 있는 내가 이게 뭐람. 차라리 학업보다 돈이나 많이 벌어 보자구. 친한 멤버들이 하나씩 군대에 가고 나도 도피처 찾는 심정으로 군에 갔다. 군에 있을 땐 몰랐다. 다 똑같은 생활이었으니. 제대하고 캠퍼스에 돌아왔지만 이미 나의 무댄 막이 내렸다. 날 기억해주는 사람은 가물에 콩 나듯 했다. 10.26과 광주항쟁으로 사회가 우울한데다 내 처지는 더욱 우울했다.

희망을 잃은 사람은 죽은 사람이다

우선 돈을 모아야 다시 공부를 하든, 뭘 할 것 아닌가. 이 때로 부터 한 3년간 운전직을 전전했다. 자가용운전기사를 했다. 최하위층 직업이었다. 사장님과 사모님들은 기사를 하인 취급하는 걸 알게 되었다. 하루는 한 겨울에 집 앞에서 세차를 하는데 손이 꽁꽁 얼 지경이었다. 주인집 자제들은 내 또래였기에 대화를 나누고 있었는데, 집 문이 열리며 사모님이 자식과 그 친구들을 부른다.

"얘들아, 뭐하니. 이렇게 추운데 감기 걸리겠다. 들어와 밥 먹자……. 그리고 김 기사, 세차 좀 깨끗하게 해 놔."

자식들은 물론 기르는 개까지 추울까봐 집으로 들이면서 따뜻한 말 한 마디 없는 게 너무 야속했다. 그랬다. 이게 내 실체였다. 사장님이 초저녁에 룸살롱에 들어갔는데 12시, 한 시가 넘어도 나오질 않는다. 시동 걸고 대기하다가 기름 낭비한다고 질책을 받은 터라 차 주위를 돌다가 덜덜 떨며 자다가. 불과 수년 전 대학 강당에서 스타로 박수 받던 모습이 진짜 사실이었는지조차 의심스러워졌다. 고생은 늘어갔으나 돈은 늘어가지 않았다. 이렇게 남의 비위나 맞추다가 인생 끝나는 건 아닌지 걱정이었다. 얼굴은 근심으로 가득 찼고 입에선 한숨만 나왔다. 나의 20대는 너무 어두웠다. 희망이 없었다. 유머형 인간의 모습은 눈을 씻어도 찾을 수 없고 낙담형 인간의 얼굴 모습만 보인다. 지금도 당시 사진을 보면 아주 어둡고 음산한 기운이 느껴진다.

'희망을 잃은 사람은 죽은 인간이다.'

세상이 싫었다. 무엇보다 나 자신이 싫었다. 사람들 만나는 것도 싫었다. 어린 시절 내성적인 성격으로 다시 돌아갔다. 잘나가는 친구들과 비교되는 게 더욱 싫었다. 원망이 절로 나왔다.

"난 왜 가난한 집에 태어난 거야."

"난 왜 날 끌어줄 수 있는 형이나 누나도 없는 거야."

지금 생각해보면 참 어리석었다. 과거 교회 선배들이나 동아리 선배들을 만나 상담해보면 앞 길이 보였을 텐데, 가난으로부터 온 열등감이 나의 사고의 흐름까지 막았던 것이다. 여기서 중요한 진리가 깨달아진다.

'유머와 웃음을 잃고 낙담에 빠지면, 머리도 짱구가 된다.'

그러다가 직장을 옮기게 되었다. 홍대 앞 서교호텔 주차관리원, 자가용 기사 생활 수년 하다보니 도무지 대화할 사람도 없고 미칠 것만 같았는데 너무 신났다.

"미스터 김, 수고하네." 인자한 얼굴의 총지배인님도 수고하라고 내 어깨를 두드려 주셨다. 자가용 기사 시절에 비하면 그야말로 천국이었다. 비록 내근직도 아니고 기껏해야 야외에서 이리 뛰고 저리 뛰며 주차비도 받고 교통정리도 하는 신세였지만 아주 의미 있는 일을 한다는 보람만은 사무직이나 영업직 사원 못지 않았다. 여기서 얻은 교훈이 있다.

'사람은 자신이 의미 있는 일을 한다고 생각할 때 신이 나고, 신이 나야 일도 잘한다는 것'

한참 이선희의 히트곡 'J에게'를 흥얼거리며 주차정리하는데 사이렌이 공중에서 요란하게 울렸다. 'J 스치는 바람에 J 그대 모습 그리면…… 애앵~~' 12.12도 광주항쟁도 끝난 지 수년이 흘렀고 또 무슨 일인가 마음을 졸이는데 다급한 목소리로 아나운서의 음성이 흘러나왔다.

"전투기 출현, 실제 상황입니다 국민여러분, 실제…"

지금도 생생하다. 그 때 그 음성 실-제-상-황. 이웅평이 넘어온 날이었다.

호텔 근무한 지 일년쯤 지났을까 같이 근무하던 후배아르바이트생과 술을 한잔 하게 되었다. 서빙 보조를 하던 여대생이었다.

"오빠, 예전엔 얼굴이 어둡더니 요즘엔 꽤 밝은 걸."

"그래? 너 때문인 것 같은데^^"

왠지 술맛이 나기에 오랫동안 마시며 우린 우리의 미래에 대해 이런 저런 얘길 했고 자연스레 나는 그녀의, 그녀는 나의 상담자가 되었다.

그러다가 그녀가 했던 한 마디 말은 내가 유머형인간이 되는 기폭제 역할을 해주었다.

"오빠, 건대 다닐 때 엄청 웃기고 떴었다며? 오빤 분명히 성공할 거야,

난 믿어"

그 말을 듣는 순간 불덩어리 같은 게 몸속에서 생기는 것을 감지했다. 마치 태양이 내 몸 속에 들어온 같은 전율이 느껴졌다.. 인간의 눈은 대단한 능력을 발휘한다. 기사 시절 주인집 사모님이 '기사 주제에' 하고 날 무시하는 눈빛을 보였을 땐 세상이 잿빛이었는데, 그 애가 격려와 관심의 눈빛을 보여주자 세상이 온통 분홍빛이었다. 악몽에서 빠져나온 느낌이었다.

언젠가 강의 중 청중들에게 이 때의 일을 말하며

"이 여대생이 지금 어디 있을까요?"

하니 지금의 부인 아니냐고 하는데 아니다. 지금 어디 사는진 모른다. 아무쪼록 행복하길. 사실 이 후배가 자신의 말에 엄청난 공력을 실어 말한 것도 아니고 나를 좋아해서 힘을 주려 한 것도 아니다. 그저 술 한 잔 얻어먹는 댓가로 좋은 말 해준 것이리라. 내가 그 말을 들었다고 해서 그 즉시 성공자가 된 것도 아니고 갑자기 돈이 많아진 것도 아니었다. 다만 나 자신의 마음이 바뀐 것이다.

진짜 중요한 것은 환경이 아니고 남의 도움도 아니고, 바로 나 자신에게 있다는 것을 깨달았다. 행복은 내가 만드는 것이다. 난 그걸 깨달았다. 돈도 없고 하는 일도 그대로였지만 다음 날 아침 일어나자마자 난 이미 변해 있었다. 낙담형 인간에서 희망형 인간으로, 부정적 인간에서 긍정적 인간으로, 우거지 인간에서 미소 인간으로, 지겨운 인간에서 유머형 인간으로!

유머형 인간으로

뜨자. 한 번 떠 보자. 성공해 보자구. 기사만 하란 법은 없잖아. 나도 자가용 뒷좌석에 한 번 타 볼 날이 올 거야. 그런데 어떡해야 성공하지?

- 그래 자기가 하고 싶은 일을 하면 성공할 거야.
- 내 일을 이해해 줄 사람도 있어야겠고.
- 내가 어떤 일에 소질 있는지 알 수 있어야 하는데…….
- 내 희망은 과연 무어야?
- 지금 내가 가진 것은…….
- 내 장점은?
- 내 단점은?
- 내 인맥은?

수많은 아이디어가 떠올라 너무 산만해 정리할 필요를 느꼈다. 노트를 한권 사서 체계적으로 나 자신의 모든 것을 분석했다. 나의 과거, 나의 미래에 대해 썼다. 당시엔 컴퓨터가 없었기에 링을 끼우는 노트를 준비해 다시 끼우기도 하고 수정, 보완하면서 나 자신에 대해 분석해 나갔다.

'내 인생을 설계하는 거야. 오호, 너무 재미있다.'

희망이 생기니까 의욕이 생기고, 의욕이 생기니까 힘이 나고, 힘이 나니까 너무 재미있었다. 나 자신의 꿈을 알아보았다. 당연히 성공하는 것이었다. 왜? 가난한 건 너무 지겹다는 것을 뼈 속 깊이 체험했으니까. 어느 정도 성공해야할까를 썼다. 글쎄, 장가를 가자, 집도 있어야겠다. 차도, 명성도 얻으면 좋고. 그러려면 내가 잘할 수 있는 걸 찾아야지. 내가 박수 받은 건 응원부 시절 웃기는 것, 좋다! 유머다. 근데 유머를 어찌 활용해야 돈이 되나? 산업 강사의 강의를 우연히 들을 때 필이 꽂혔지. 좋다 유머강사다. 유머강사가 내 꿈이다. 전문적으로 공부하기 위해 늦은 나이지만 다시 대학에 들어가기로 했다. 직장생활하며 학원 다니며 이중생활을 했지만 피곤한 줄도 몰랐다. 하루 3시간을 자도 전혀 피곤하지 않았고, 학원 강의 들을 땐 너무 재미가 있어 싱글벙글 웃으며 공부했다. 공부가 이리 달콤한 줄은 예전엔 미처 몰랐었다. 국어, 영어, 수학, 역사……. 나중에 다 내가 연구하는 유머의 자료가 될 수 있다고 생각하니 버릴 게 없었다. 웃으며 공부한 덕인지 아니면 운이 좋았는지 1년 공부했는데 내 고향 신촌에 있는 대학, 어릴 때 매일 놀았던 그 대학에 장학생으로 들어갈 수 있었다. 뚜렷한 목적이 있을 때, 난관은 없다고 생각한다.

예전 대학 다닐 땐 짜릿한 환경 때문에 즐거웠다. 얼마 후 환경이 날 지켜주지 못하자 이내 즐거움이 사라졌다. 하지만 난 그때와는 달라졌다. 남 때문에 즐거운 게 아니고 나 자신의 내부로부터 샘솟는 의욕이 즐거움의 원천이었다. 그러니 상황이 나쁘든 말든, 남이 무어라 하든 말든, 박수를 받든 못 받든 웃을 수 있었다. 난 돈키호테처럼 내가 하고 싶은 일을 꾸준히 밀고나갔다. 나중에 생각하니 진정한 유머형 인간이 되어 가고 있던 시기였다. 남들이 잘해주어야 행복하다는 것은 미숙한 인간이다. 유머형인간이란 내가 마음만 바꾸면 행복할 수 있다고 생각하는 사람이다. 남 탓하는 사람치고 잘 되는 사람 없다.

후에 아르바이트로 직장생활 할 때도 많이 보았다. 유머형 인간은 항상 웃는다. 상사에게 야단을 맞아도 웃는다.

"죄송합니다. 실망하셨죠? 앞으로 잘하겠습니다. 적절히 지적해주시니까 제 단점을 알게 되었어요."

처음엔 뭐 이런 놈이 다 있나 의아해하지만 3일만 지나면 진심을 안다. 유머형 인간은 조직에서도 대환영이다. 조직 구성원에게 에너지를 제공해주기 때문이다. 그렇다, 웃음과 즐거움의 진정한 원천은 내 속에 있는 것이다.

유머 대가들을 찾아다니다

유머를 위해선 누굴 쫓아다녀야 할까? 유머능력이 있거나 청중들에게 인기 있는 사람들을 분석했다. 인기 강사들도 만났다. 한대에서 김양호교수를 만나 화술론을 공부했다. 이 분 그리고 부인 되시는 조동춘 박사님과도 최근까지 인간적 만남을 가지고 있다. 너무 큰 도움을 받았다. 훗날 만나게 되는 이상헌 선생님과 천세욱 교수님 등은 내겐 아버지 같은 스승들이다. 강의에 대해, 인생에 대해 깊은 지식을 준 분 들이다.

연대에서도 많은 교수님들을 만났다. 김형석 교수님은 당시에도 은퇴교수였지만 대단한 명성을 날리는 분이시었다. 고령에도 온화한 미소, 또렷한 말투, 풍부한 지혜. 그저 강의 주제는 그만두고 바라만 보아도 감화되는 것을 느낄 지경이었으니까. 아, 저 연세에 저런 미소가 나오다니 대단한 내공이로다. 감탄&감탄, 훗날 유머형 인간을 구성하는데 모델로 떠오른 분 중 하나다. 김동길 교수도 인기가 많아서 교실이 아니라 상대 강당에서 강의를 했다. 김형석 교수의 웃음이 온화한 목련이라면 김동길 교수의 카리스마는 장미 가시같은 풍자였다. 정치인이랄지 권력층, 고정관념에 빠진 사람들의 행태를 예의 그 독설로 풍자했을 때, 그 자리에 모인 사람 모두 대리만족의 카타르시스를 느낄 수 있었다. 이 분은 절대 미운 놈 떡 하나 더 주는 스타일은 아니었다. 떡 먹을 때 뒤통수를 때려 기어코 뱉게 해야 직성이 풀리는 분이셨다. 훗날 유머 기법 중 하나인 풍자를 연구하는 데 이 분의 영향이 결코 작지 않았다. 이 분이 낸 시험문제 주제가 지금도 생각난다. '역사란 무엇인가?'

제대로 쓰지 못하고 중언부언한 걸 생각하면 지금도 얼굴이 화끈거린다. 세계사 국사도 중요하지만 우선 나 자신을 분석해야 했다. 나 자신의 역사는 4단계로 이루어졌다.

- 좌절(가난, 내성적 성격, 고독); 초, 중 시절
- 극복(친구의 칭찬, 관중의 박수); 고교, 대학 시절
- 좌절(가난, 운전기사의 비애); 20대 초중반
- 극복(막걸리소녀의 격려, 유머강사의 꿈); 20대 후반이후

교육공학을 전공한 이성호 교수에게선 청중을 사로잡는 노하우를 배웠고 마광수 교수에게선 인간의 궁극적 관심사가 무언지를 배웠다. 마 교수님은 다른 교수님들관 확실히 구분되는 무엇이 있었다. 다른 교수님들은 항상 건전한 얘길 했기에 어쩌다 야한 얘길 한 게 기억이 남았다. 반면 마 교수님은 항상 야한 얘기만 했기에 어쩌다 건전한 얘기한 게 지금까지 기억에 남아 있다.

'고기를 먹을 수 없는 가난한 한국인들은 고기대신 웃음을 통해 삶의 에너지를 얻었다.'

대학 교수, 산업 강사 선배들 외에도 부흥사 등을 연구했다. 청중들이 웃은 이유를 알기 위해 녹음테이프와 유머기법 도서를 번갈아 살피며 밤새 분석했다. 유머기법에 대한 책은 경희대 서정범 교수와 지금은 존함이 가물가물한데 작고하신 SBS 코미디 PD의 저서가 도움이 되었다. 내가 연구하기엔 국내 자료가 부족해 외국에서 나온 책을 많이 참고했다. 이 때 알게 된 사람이 하비콕스(하버드대학 신학자)다. '바보제'는 세속도시와 함께 이 분의 명저인데 훗날 대학원 논문을 완성하는 데 큰 도움을 받았다. 그 외 미학 책에도 유머에 대한 언급이 있었다.

앙리 베르그송의 '웃음'이란 책도 번역되어 있다. 수십 번 읽었는데 엄청 어렵다. 성경+불경+마호메트경을 중학생이 읽는 것만큼이나 어렵다. 얼마 후 김양호 선생을 찾아가 이 말을 했더니,

"대중에게 유머 강의를 한다면 무조건 재미있어야 된다고 보네."

나도 그렇게 생각한다. 엄청 딱딱한 책들을 보고 공부했지만 내가 낸 책들은 엄청 재미있다. 학자가 아니라 일반인을 대상을 쓴 것이기에. 사실 웃는 것이야 좋지만 웃기는 것은 어렵다. 재미있게 책을 쓰는 것도, 배꼽 빠지게 강의하는 것도 결코 만만치 않다. 남들 배꼽 빠질 때 난 머리 빠진다. 그래도 재미있다. 내가 보람을 느끼는 일이니까.

책을 내고 강의를 하며 활동을 한 이후에도 좋은 사람들을 많이 만났다. 고등학교 동창 박승식, 이 친구는 전자공학을 전공한 후 부산에서 사업한다. 다른 사람 앞에서 내 유머에 흔쾌한 칭찬을 해주어 신이 난다. 한국 코미디계의 대부 김웅래 PD, 내게 많은 도움과 정보를 준다. 코미디 작가계의 전영호 교수, 김재화 교수 역시 친하게 지낸다.

너무너무 진짜 감사하다

내가 만나는 사람은 다양하다. 아마 대한민국 강사 중에서 제일 많이 다양한 사람들을 만날 것이다. 그도 그럴 것이 주제가 부담 없다 보니 별의 별 곳을 다 간다. 가장 많이 방문하는 곳이 역시 기업체 연수원이다. 대기업들은 대부분 자체 연수원을 가지고 있다. 주로 용인, 양평, 오산 등 수도권 공기 좋은 곳에 있다. 경비실에서 '강사입니다.' 라고 하면 나보다 연배 높으신 경비아저씨들이 거수경례를 하신다. 난 너무 고마워 두 번 세 번 고갤 꾸벅인다. 대부분의 연수원들이 정도의 차이는 있지만 강사들에게 초특급 대우를 한다. 중소기업에선 보통 회사 건물에서 교육을 하거나 다른 교육시설을 빌린다. 로타리 클럽 등의 단체 모임이나 네트워크마케팅 행사 등은 호텔이나 대학 건물을 빌려 진행하기도 한다. 공무원연수원, 교회, 여름 휴양지 등 어딜 가도 강사는 특급 대우다.

교육담당자들이 가끔 묻는다. 멀리까지 와 주셔서 감사합니다. 스케쥴

바쁘시던데 강의 다니시기 힘들지요?

"예, 힘든 면이 있습니다. 차 막히면 늦을까봐 걱정하고, 강의 준비한다는 게 아주 신경 쓰이는 일이지요."

그리곤 한 마디를 덧붙인다.

"힘들지만 너무 감사해요. 같이 하소연할 동료도 없고 보람도 없이 남이 시키는 것만 하던 어두운 시절이 엊그제 같은데, 이렇게 거의 하루도 쉬지 않을 정도로 강의를 하는 사람이 되다니요. 가방 제가 들어도 감사하구요, 장거리 운전을 해도 감사합니다."

난 너무너무, 진짜로 감사하다. 고맙다. 내가 만나는 연수원 임직원들과 경비, 청소원, 교육담당자, 영양사, 식당아줌마까지 다 감사하다. 거기서 만나는 여러 쟁쟁한 강사님들과 교분을 갖는 것도 감사하다. 볼을 열 번 백 번 꼬집어도 꿈은 아니고 난 완전히 행운아다. 로또복권 당첨된 사람보다, 피박 광박에 쓰리고 흔들고 멍따의 영광을 누린 행운아보다, 부모에게 수십억 재산을 물려받은 사람보다, 이승엽 홈런 볼 주운 사람보다 누구보다 더 행복하고 감사하다. 유머형인간이 되면 성공한다는 법칙이 들어맞아 더욱 행복하다.

고생 끝에 쨍하고 해뜬 사람들을 찾아 방영하는 SBS '인생대역전', 감동의 메시지를 전해주는 MBC 느낌표의 '길거리 특강', 톡톡 튀는 젊은이들의 KBS '대한민국1교시' 그 외 수많은 매스컴을 타게 된 것도 역경과 고독의 나날이 없었으면 불가능 했다. 당시는 힘들었지만 졸린 눈 비비고 야간 운전하러 뛰어간 하루하루가 더욱 값지고 소중하다.

난 매일같이 마이크를 잡고 청중들에게 유머형 인간이 되라고 외친다. 유머형 인간은 세상이 재미있다고 생각하는 사람이다. 남들은 짜증나고 불쾌한 일도 유머형 인간에겐 그저 또 한 번의 웃음 소재다. 얼마 전엔 강동구에서 배드민턴 게임을 하다가 발목을 심하게 접질렸다. 남복을 쳤으면 대충 뛰었으련만 혼복을 하게 되니 파트너에 대한 체면도 있고 해서 무리하게 뛰었나보다. 생전 처음 목발을 짚고 다니려니 여간 힘든 게 아니다. 그래도 감사하다. 내 수입의 반은 입(강의)에서 나오고, 나머지 반은 손(원고료)에서 나오는 데 그 둘은 말짱한 게 너무 신기하다.

유머형 인간이 된 것은 내게 가장 큰 복이다. 돈보다, 명예보다 권력보다 더 귀한 복이라고 생각한다. 그래서 난 오늘도 외친다. 지금 설령 돈 때문에, 취업 때문에, 건강 때문에 힘들지라도 긍정적으로 세상을 본다면 반드시 그 비전을 이룰 것이라고 말이다. 그러니 아무 염려 말고 지금 있는 그 자리에서 그 조건 그대로 인생을 재미있게 사는 유머형 인간이 되라고.

4_ 나를 바꾸고 세상을 바꾸는 유쾌한 힘, 유머형 인간

- 멀티플레이어로 나를 바꾼다
- 매력을 달고 다닌다
- 아내를, 남편을 바꾼다
- 직장을 바꾼다
- 집안을 바꾼다
- 첫인상을 바꾼다
- 밤이 즐겁다
- 하늘이 스스로 돕는다
- 아이들을 바꾼다
- 분위기를 바꾼다
- 사람의 마음을 바꾼다
- 정치판을 바꾼다
- 경영을 바꾼다

멀티플레이어로 나를 바꾼다

_ 유머는 멀티플레이어다

지하도에서 거지가 양손에 모자를 든 채 구걸을 하고 있었다.
그 앞을 지나가던 행인이 모자에 동전을 넣으며 거지에게 물었다.

행인 왜 모자를 2개나 들고 있는 거죠?

거지 요즘 장사가 잘돼서 체인점을 하나 더 냈습니다.

거지가 체인점을 냈다고는 하지만 과연 본점만 있을 때 보다 두 배의 수입을 올릴 수 있을 지 심히 걱정된다. 괜히 수입은 오르지 않고 힘만 두 배로 드는 건 아닌지 안타깝기 그지없다. 주위를 둘러보면 한 가지 기능도 제대로 발휘하지 못하는 경우가 태반이다. 가난한 사람 도와주지는 않아도 되고 사회에 이익 환원하지 않아도 되니까, 이윤만 확실히 내는 기업인이라면 박수를 쳐줄 수 있다. 콩나물에서 고단백질 기대하지 않으니 그저 중금속이나 없었으면 좋겠다. 수돗물 마시고 이빨 튼튼해지는 것은 언감생심 바라지 않으니 그저 순수한 물만 마실 수 있으면 좋겠다.

남들 한 가지도 제대로 못하는 데 자신 할 일 확실히 수행하면서 다른 부가 기능도 충실히 수행하는 존재가 있으니 바로 유머형 인간이다. 유머는 멀티플레이어다. 동시에 다기능을 수행한다. 조직이 쳐지고 맥이 빠졌을 때 분위기를 띄우고 에너지를 불어넣는다. 적절한 한마디 유머는 마치 방전된 랜턴에 건전지를 새로 갈아 넣은 듯이 분위기를 쇄신해 준다.

동시에 유머 제공자는 스타가 된다. 유머 후에 감동적인 한마디가 포함되면 그는 일류 연설가가 되고 무언가를 지시하면 부드러운 리더십을 가진 리더가 된다. 유머가 있는 아빠는 가족들의 존경을 받고 유머가 있는 친구는 어딜 가나 인기 짱이다. 환자에게 유머는 치료제이며, 지겨운 정치인을 풍자하는 술자리 유머는 일류 안주가 된다. 서먹서먹한 인간관계에 유머는 인맥을 열게 하는 윤활유 역할도 한다.

2002년 한국 축구의 현실로 16강은 요원했다. 방법은 하나. 히딩크는 선수들에게 멀티플레이어가 될 것을 요구했다. 우리가 리드할 땐 공격수 유상철도 수비를 볼 수 있어야 한다. 우리가 지고 있을 땐 수비수 이영표도 공격에 나서야 한다. 공격수에서 중앙 날개로 다시 수비수로 멀티플레이어 역할을 완성한 히딩크 축구가 월드컵 기적을 낳았듯이 멀티플레이어 유머형 인간이 된다면 당신은 비즈니스에 기적을 낳을 수 있다.

유머는 스스로에게도 다양하게 긍정적인 영향을 끼친다. 유머 한마디에 몸에선 엔돌핀이 솟아 활기가 넘치게 된다. 거의 동시에 두뇌 안에서 놀라운 현상이 목격된다. 이성의 좌뇌와 감성의 우뇌간 교류가 활성화 되어 창의력 향상, 아이디어 백출, 정보화 시대가 요구하는 골드칼라로 진보한다. 협착된 장이 풀리며 어깨가 펴지고 그 당당한 이미지는 대인관계에도 플러스요인이 된다.

가정에서도 멀티플레이어는 어김없이 요구된다. 낮에 업무에 충실한 당신, 밤에도 결코 지친 모습을 보이지 말라. 침대를 두려워하면 항상 침대의 악몽에서 벗어나지 못한다. 침대를 장악하라. 쌍코피를 터뜨릴망정 술담배를 줄일망정 그녀의 한 맺힌 요구를 외면하지 말자. 낮은 밤을 낳고 밤을 낮을 낳는 법이니 강한 밤은 곧 강한 하루를 보장해준다. 아침 저녁, 살짝 살짝 웃어주는 살인 미소는 부부관계를 활성화시키고 이는 곧 2세의 활발한 출산에도 영향을 미쳐 국가 경쟁력 향상에 공헌하는 결과를 낳는다.

유머형 인간을 위한 액션 플랜(Action Plan)

- 출근하면 아랫사람에게도 먼저 인사한다.
- 아침에 일어나기 전 침대에서 '좋은 아침'이라고 자기 자신에게 인사한다.
- 세상에 끌려가지 말고 세상을 리드하라.
- 그녀의 요구를 거절하지 말자.
- 비만은 활기를 뺏는다. 감량 3kg에 도전한다.

매력을 달고 다닌다

_ 유머의 매력이 사람을 사로잡는다

A는 유머를 잘 구사하는 사람. 반면에 B는 유머감각이 전혀 없는 사람. 이런 경우 주위 사람들은 과연 각각에게 어떠한 반응을 보일까? A가 총각이라면 미스들에게 인기를 끌 수 있을 것이다. 당연히 B는 A를 부러워하며 통한의 눈물을 흘리고 있지 않을까? 유명한 여성 탤런트나 여성 지도자들을 인터뷰한 것을 수년간 수집, 분류하다보니 재미있는 통계결과가 나왔다.

"당신의 장래 남편감으로 어떠한 남성을 원하십니까?"
"가장 이상적인 남성은 어떤 조건이 있어야 한다고 생각하십니까?"

질문에 대한 답으로 건강한 남자, 생활력 있는 남자, 이해심이 많은 남자, 돈이 많은 남자, 안정된 직장이 있는 남자 등 많은 조건이 나왔다. 그런데 중복으로 대답했을 때 항상 들어가는 조건은 놀랍게도(사실 놀랍지도 않지만) 유머감각이 있는 남자였다.

문제는 이것이 일시적인 현상이 아니라는 사실이다. 벌써 십수 년 째 유머 있는 남성은 계속 상종가를 치고 있다. 직장에서도, 대학 캠퍼스에서도 유머형 남성이 뜨고 있다. 왜 그럴까?

역사적으로 고찰해 보면 여성을 보호해주고 위해준 기간이 별로 없다. 남존여비, 칠거지악, 마누라와 북어는 사흘에 한 번 두들겨야 한다. "암탉이 울면 집안이 망한다.", "첫손님이 여자면 재수 없다." 등의 여성 비하 악습은 사실 오래 전부터 형성된 것이다. 이렇게 말하면 우리나라가 여성 인권에 형편없는 것 같지만 외국도 마찬가지다.

삼국지에 보면, 유비를 대접하기 위해 마누라를 죽여 허벅지살을 대접한 남자가 의인으로 묘사되고 있다. 세계 최고의 여성 인권국가로 생각되는 미국, 영국 등도 여성에게 투표권이 생긴 것은 지금으로부터 불과 100년도 안 된다. 반면 우리의 경우 한 예인데 중전은 임금에게 보고하지 않고 직권으로 내명부를 다스릴 수 있는 전권을 가졌다. 여권이 외국보단 높았다는 명백한 증거다.

어쨌거나 여성의 인권은 최근까지도 아주 낮았던 게 현실이다. 남자는 군림하고 여성은 복종한다. 남성은 여성 앞에서 긴장할 필요도 없고 즐겁게 해줄 필요도 없다. 여성에게 유머를 해준다는 건 상상할 수도 없고 짜증 안내면 다행이다. 오로지 여성이 남성의 기분을 맞춰야 한다. 그러나 이젠 세상이 바뀌었다. 아니, 정상으로 돌아온 거다. 생물학적으로 여성은 남성과 많은 부분 동일(비슷한 IQ)하고 일부분은 우월(월등한 EQ)하다.

오! 오늘은 안되겠는걸…
내가 "유머"를 집에 두고왔어!
토끼야!
용왕님이 너 좀 보잖다.
나랑 가주어야 쓰겠다.
얼릉…

이러니 여성들이 예전처럼 거만하고 도도한 남성들을 용납할 리 없다. 남성들은 세상이 바뀌었음에도 조선시대 미몽에서 깨어나지 못하고 있다.

유머란 우리가 아는 바대로 웃음을 만들고 즐거움을 주는 행위다. 상대를 즐겁게 한다는 것은 상대를 귀히 여긴다는 뜻이다. 여성에게 유머를 제공하는 남성이란 다른 말로 하면 여성을 귀히 여긴다는 말과 동격이 되는 셈이다. 오랜 동안 남성에게 무시당한 여성 입장에선 또 다시 무뚝뚝하게 자신을 쏘아보는 그 눈빛을 견딜 수 없는 게 당연한 것 아닌가? 남성의 무뚝뚝함은 구시대 역사의 잔재이다.

경제적으로도 남성 수입을 압도하는 여성이 도처에서 탄생하고 있다. 이제 여성은 학력으로도 남성에 뒤지지 않는다. 게다가 결혼적령기에 들어가는 젊은이들의 성비를 보면 여성이 월등히 적다. 구시대의 남아선호 사상의 뼈아픈 결과다. 고정관념의 반사 이익에 힘입어 여성은 희소가치가 있고, 이 결과 배우자 선택권이 여성에게로 간 지 오래다. 술 팔고 웃음 팔아 오빠 고등고시 패스시키던 '이수일과 심순애 시대' 도 이미 끝났다.

여성들도 기쁘고 즐거운 인생을 원한다. 요즘 어떤 여성이 고리타분하고 권위적인 남성을 원하겠는가? 남성이 여성을 선택한다면 여성도 남성을 선택한다. 남대문 시장 돼지머리도 웃는 게 잘 팔린다는데 우거지상에 수면제메이커스타일로 여성의 마음을 사로잡을 수는 없다. 남성들이여! 결혼도 비즈니스도 유머가 없으면 여성들에게 가차 없이 퇴짜 맞기 십상이다. 이젠 유머는 선택이 아니라 필수다. 되지도 않을 로또복권에 목매지 말고 유머부터 익혀라. 목숨 걸고 웃겨서 낙점 받지 못하면 평생 총각출신 홀아비로 인생을 비탄하며 혼자 살아야할지도 모른다. 어쨌거나 남자는 고달프다.

유머형 인간을 위한 액션 플랜(Action Plan)

- 오늘은 데이트하는 날, 손수건은 빠뜨려도 유머 한마디는 빠뜨리지 않는다.
- 어딜 가든 낭송할 수 있는 시(詩) 한 편은 암기하고 있어라. 가능하면 알려진 것으로.
- 추울 때 외투 벗어줄 준비하라. 감기 염려되면 내복을 미리 입고 나가든지.
- 그녀가 좋아하는 노래를 연습해서 불러준다.
- 꽃만 덜렁 내밀지 말고, 아름다운 꽃말이나 분위기에 맞는 멘트를 준비하라.

아내를, 남편을 바꾼다

_ 가정의 화목을 키우는 비타민이다

직장생활을 하다 보면 얼마나 많은 스트레스를 받는지 모른다. 상사에게는 실적 때문에 야단맞지, 신세대 부하직원과는 세대차이 나지, 쥐꼬리만한 봉투 갖다 주어도 부인은 매일 부족하다고 핀잔만 하고 남편은 들어오는지 나가는지 관심 '뚝' 이다. 오로지 자식만 챙기지, 제대로 챙겨주지도 않으면서 밤에는 힘 못쓴다고 구박하지, 밖에선 힘들고 안에선 서럽다.

부인 입장도 마찬가지다. 주머니 사정 나아지는 기색은 없고 살림하기가 바싹 말라버린 백설기처럼 팍팍하기만 하다. 물가는 계속 오르지, 남편은 점점 늙어가고 아이들은 점점 커 가고, 아이들은 자꾸 성장하며 돈 들어갈 것은 많아지는데, 남편은 나이가 들며 점점 몸이 약해지고 보약이라도 사먹이고 싶지만 돈 부족하지, 자기 안 챙겨준다고 삐지지. 그러지 말아야지 생각하면서도 남편의 봉투를 받으면 바가지부터 나온다. 이것이 우리 보통 사람들 보통 가정의 일상적 모습이다.

허나 달도 차면 기울고, 밤이 깊으면 새벽이 오는 법. 근심을 털어놓고 다함께 차차차 기운을 내자. 길에는 끝이 있고 문제에는 답이 있는 법. 바로 바로 유머가 답이다. 가정에서 비타민 역할을 하는 것이 유머와 웃음이다. 가정은 두 개의 기둥 역할을 하는 부부와 미래의 희망이요 집안의 꽃인 자녀들로 이루어졌다. 가정도 하나의 생물체 비슷해서 필수영양소를 섭취해야하는 데 그 역할 하는 게 바로 유머요, 웃음이다.

민주주의가 피를 먹고 자라는 존재이듯 가정은 웃음을 먹고 자라는 존재다. 결혼 하고 일, 이년 정도는 뜨거운 연애감정의 존속으로 지낸다. 그러나 불행하게도 연애 호르몬의 수명은 기껏해야 2년, 사람마다 약간의 차이는 있지만 대략 일 이년 지나면 슬슬 상대의 단점이 보인다.

결혼 전에는 남자의 덥수룩한 구렛나루 수염이 '오! 터프가이, 아! 자연의 원시림, 완벽한 남성적 매력' 으로 보였는데 언젠가부터 비위생적이고 게으른 노숙자 몰골로 보인다. 연애할 때만해도 그녀의 보라색 눈화장이 마치 남태평양 바다 속 산호같이 환타스틱한 신비였는데 제정신을 회복한 지금의 눈으로 보니 영락없는 복날 고등어 눈이다.

예전엔 여자가 눈물을 보이면 얼마나 가슴이 아팠던가?

"모가지가 길어서 슬픈 짐승이여…… 고귀한 족속이었나 보다……."

노천명의 시를 읊조리며 그녈 위로해주었는데 지금 마누라 울며 징징거리면 욕부터 나온다.

"뚝 몬하나! 아침부터 뭐고? 니 미친나? 칵 재수없게시리."

이게 부부의 비극이요, 가정의 저주다. 피차에게 눈빛은 냉담해지고 쏘아붙이는 한마디 말은 날 선 검보다 더 예리하게 상대의 속을 뒤집고 헤집는다. 둘 사이는 소 닭 보듯 관심이 멀어진다. 변했다고 울고불고 할 것 없다. 생각을 바꾸고 표현을 바꾸면 된다. 유머는 우리의 생각을 바꾸고 표현을 바꾸는 기술이다.

먼저 처음 시작하는 말부터 여유 있게 바꾸자.

"아, 그렇구나."

"그렇게 생각했어?"

"그렇게 생각했다면 기분이 나쁠만도 하지."

"그 감정이 아직 안 풀렸구먼."

"그 기분 이해는 되지만……."

인생의 여유가 느껴진다. 원래 유머형 인간이란 여유 있는 사람이다. 상대의 말을 인정해주고 기분을 이해해주니 분위기가 한결 부드러워진다. 이러면 반은 성공한 거다.

그러나 항상 찬바람이 도는 사람들이 평상시에 무심코 사용하는 말이 있다.

"그래서 어쨌다는 거야?"

"난 시간이 없는데."

"아, 용건만 간단히."

"내 말이 틀렸단 말이야?"

"너 뇌에 광우병 걸렸냐, 내 말이 그렇게 이해가 안 되니?"

모든 게 자기중심이다. 남을 이해해주지 못한다. 독선과 아집으로 가득

차있다. 자기가 기준이니 항상 자기와 차이 나는 만큼 불평불만이다.

첫 단추를 잘 꿰면 두 번째부터는 수월한 법이다. 이젠 매사 긍정적으로 해석해주는 일만 남았다.

"자기, 나 이마 주름살도 늘어가고 점점 늙어가나 봐."

"무슨 말씀, 군대있을 때 말야, 고참들 병장 계급장이 그렇게 멋있더라고. 주름살은 인생의 고통을 멋지게 이겨낸 훈장이라잖아."

우리 집 모기 박멸은 에프킬라로, 우리 집 불화박멸은 유머로!

유머형 인간을 위한 액션 플랜(Action Plan)

- 기념일을 기억하라. 돈들이기 싫으면 친필로 쓴 카드 한 장도 좋다.
- 임신했을 때 뭐 먹고 싶다면 수단방법 가리지 않고 구해준다.
- 상대가 말실수하면 유머 한 걸로 해석하라.
- 상대의 썰렁 유머에도 '하하' 소리 내어 웃어주자.
- 애들 앞에서 그이의 노고, 체력, 능력을 칭찬해준다.

직장을 바꾼다

_ 웃으며 일하는 직장을 만든다

한 회사가 추구하는 목표를 달성하기 위해서는 사내(社內) 갈등을 창조적으로 승화시켜야하는데 유머는 조직 내의 갈등관계를 상조관계로 바꾸는 역할을 한다. 갈등관계란 조직 내 구성원들이 서로 갈등관계에 있다는 것이고, 상조관계란 서로 도움을 주고받는 관계라는 말이다.

판매목표달성을 위해서는 바이어가 가지고 있는 상품과 세일즈맨에 대한 부정의 이미지를 긍정의 이미지로 바꾸어야 한다. 이 일에도 유머는 아주 큰 역할을 한다. 일류 세일즈맨과 일류 CEO들은 일류 '유머형 인간'이라고 보면 거의 틀림이 없다. 큰 사업체를 일으킨 창업자들의 공통점은 유머감각이 탁월한 사람들이란 점이다. 잘 살펴보면 유머감각이 뛰어난 사람은 지혜와 여유, 그리고 배짱이 두둑한 사람들이다. 그러한 여유와 배짱, 그리고 지혜가 치열한 산업경쟁에서 승리를 안겨준다.

비즈니스맨이 유머감각을 갖추었다면 경쟁에서 반은 이기고 들어간다고 할 수 있다. 남들이 보기에는 운이 좋아서 출세한 것 같지만 이 세상에

거저 되는 일이 어디 있겠는가? 어렵고 고독하고 힘든 난관도 많지만 제일 힘든 것은 바로 자기 자신과의 싸움이다. 위기 때마다, 또 외로울 때마다 멋진 유머로 운명과의 싸움을, 또 자신과의 싸움을 이겨낸 경제계 인물들의 실화를 소개한다.

현대그룹 창업자 정주영. 정회장이 조선소 지을 자금을 얻기 위해 동분서주하다가 마침내 영국 버클레이은행의 부총재와의 면담을 주선했다. 그를 설득시키지 못하면 현대조선소도 없고, 우리나라가 세계 최고의 조선국이 되는 것도 다 헛물켜는 일이 될 판. 대학은커녕 중학도 못 나온 소학교출신의 정회장에게 난처한 질문이 쏟아진다.

부총재 "당신 전공이 무엇입니까? 기계공학 아니면 경영학?"

정회장 "나의 사업계획서 읽어보았습니까?"

부총재 "물론이요."

정회장 "내 전공은 바로 그 현대조선사업계획서요."(모두 한바탕 웃음)

부총재 "당신의 전공은 유머 같군요. 당신의 유머와 사업계획서를 함께 수출 보험국으로 보내겠소."

졸업장이 있어야 알아준다는 먹물들의 고정관념을 한 방에 물먹인 배짱이 엿보이는 유머센스다. 정회장의 유머는 경제적 유력자의 마음을 돌려놓았고 정회장 자신은 당시의 일등공신인 이 유머를 '옥스포드 유머' 라고 명명하곤 오랫동안 기분이 좋을 때면 사람들에게 자랑스럽게 당시의 일화를 들려주곤 했었다. 유머가 그에게 배짱을 주고 그 배짱이 사업을 일으켰다. '유머감각은 인간설득의 가장 중요한 무기' 라는 말이 입증되는 순간이다. 유머형 인간에게 설득이란 그리 어려운 일이 아니다.

눈을 밖으로 돌려 보자. 세계화라는 말이 앙상한 구호로 그치지 않으려면 유머는 필수다. 외국기업이 투자하기 힘든 나라 하면 손꼽히는 나라가 한국이다. 지나친 규제, 살벌한 노사대치, 배타적인 자세 등 연일 매스컴에서 이 문제점을 지적하지만 크게 변하지 않는 한국의 모습을 보며 외국기업은 적극적인 투자를 망설이고 있다.

일본은 우리보다 인건비도 비싸고 물가도 땅값도 비싸다. 개도국 제품 시장의 가치를 따져 봐도 전혀 우리보다 나을 것이 없다. 우리나라도 과거의 고질적인 외국기업인들에 대한 공무원들의 부정부패나 뒷돈 요구 등은 이젠 거의 사라졌다고 한다. 일본은 거의 모든 부분에서 우리보다 경쟁여건이 나쁘지만 한 가지 좋은 것이 있으니 바로 표정! 일본하면 미소 짓는 상냥한 얼굴이 연상된다는 말이다.

외국 기업인들의 입장에서 상대하는 한국의 거래처 사람들이나 공무원들이 무표정한 인상을 짓고 있으면 자신에 대한 반감으로 생각되어 상당한 심적 부담을 느낄 수 있다. 유교적 전통이 있는 우리나라에서는 '무표정=정상적 표정' 이라는 등식이 성립된다. 그러나 외국 사람들의 관점에선 '무표정=반감' 으로 이해하고 있다는 게 문제다. 세계화를 하려면 문화의 차이, 가치관의 차이에 눈을 뜰 일이다.

'내 속마음이 중요하지 뭘' 하고 속마음 알아주기를 기대해봤자 상대는 불쾌한 이미지를 가지고 우리를 대할 뿐이다. 우리나라에선 오랫동안 '웃는 얼굴=싱거운 사람' 이라는 등식이 성립되어 있다. 그러나 외국에서는

'웃는 얼굴=친구' 의 등식으로 통하고 있다. 망하려면 모르되, 살려면 미소에 인색하지 말아야 한다. 이제 산업계에서 제일 중요한 것은 빨리 유머와 웃음에 눈을 뜨는 것이다. 그 길이 우리 산업이 살고 우리나라가 사는 길이다. 인간은 이성보다는 감성의 동물이다. 유머와 웃음으로 마음이 통하면 그 다음부터는 일사천리다. 좋은 설득보다 앞서는 게 바로 좋은 느낌이란 사실을 깨닫길 바란다.

일본 혼다사의 회장인 혼다 소이치로는 세계화가 진행되는 지금 "웃는 얼굴이야말로 세계 공통의 여권"이라고 말한다. 서울 외곽순환고속도로 하이패스를 신청 했더니 다른 차들 수십 대씩 밀려 있을 때 자동 인식 불깜박이면서 프리패스 되는 기분은 경험한 사람만이 알 것이다. 시간도 절약, 기분도 최고다. 우리 마을 축제 때 일반 차량들은 주차장 부족으로 수 km 전부터 걸어온다. 그러나 주민차량이나 행사차량은 프리패스다. 중요한 사람으로 평가되기 때문이다.

웃는 사람은 어딜 가든 VIP대접을 받는다. 기억하자. '웃으면 어디든 프리패스'! 무표정한 얼굴은 우리나라 사람에게는 자연스럽고 익숙한 것이지만 해외에서는 거절, 분노, 대적의 이미지를 나타내는 것이다. 옛말에 뭉치면 살고 흩어지면 죽는다는 말이 있었지만 지금은 "웃으면 살고, 안 웃으면 죽는다."는 말이 실감날 정도의 세상이 되었다.

사실 우리나라 사람들이 웃는 얼굴을 하기 힘든 이유가 몇 가지 있긴 하다. 우선은 가부장적 전통의 영향이다. 오랫동안 권위적 문화의 영향으로 어른 앞에서 웃는 것도 흉이요, 여자가 큰 소리로 웃는 것은 더 큰 흉이요, 어른에게 유머를 사용하는 것도 흉이요, 심지어는 한 20 여 년 전만 해도 지나가는 사람얼굴을 보고 무심코 웃기만 해도 큰 실례로 통했고 심지어는 공격을 받기 일쑤였다.

"야! 너 왜 째려?"

"야! 너 왜 실실 웃어? 비웃는 거야?"

눈 마주 쳐다본다고 시비를 걸고 웃기라도 하면 큰 싸움 났다.

게다가 오랜 동안 경제적으로 궁핍했던 면도 있다. 배가 고프니 웃음이 나올 리 없다. 그리고 극심한 사회 변동도 한 몫 했다. 구한말에 양반이 상놈 되고 상놈이 양반 되고, 왜정시대를 지나면서 호의호식하던 친일파가 해방된 후에도 대접받고, 이념문제로 남북이 갈리고, 부역했다고 양쪽에서 공격받고 하는 동안 사람들은 서로 쉽게 마음을 열수가 없었다. 하도 당하다 보니 눈치만 발달해 눈 근육은 발달했지만 상대적으로 입 근육이 무디어진 거다.

어렸을 때부터 웃기 좋아하는 필자는 길에서 학교에서 군대에서 웃는 얼굴을 불쾌하게 생각하는 사람들을 여러 번 만났다. 70년대에 중학에 다닐 때는 웃는 얼굴 보는 것이 힘들었다. 그 당시 사진을 보면 웃는 얼굴을 한 사진 구경하는 것이 하늘의 별 따기. 간혹 미군이나 선교사 등의 얼굴만이 미소를 짓고 있다. 하지만 최근에 중학생들을 보면 얼마나 미소가 자연스러운지 모른다. 지금은 웃는 얼굴이 보편화되고 있다. 웃느냐 무표정이냐가 세대차를 나타내는 시대가 되고 있다. 안 웃는 기성세대는 젊은 세대로부터 구세대로 배척을 받을 지도 모른다.

웃는 훈련도 필요할 때다. 2003년 이후 지역감정 대신 등장한 신구세대 갈등이 많은데, UCLA 오마에 겐이찌 교수 등 세계적인 석학들은 한국이 2만 불을 넘어 경제대국이 되기 위해 가장 시급한 것은 세대갈등을 극복하는 것이라고 말하고 있다.

이제 변해야만 한다. 권위적 리더십으로는 조직을 제대로 이끌기 힘들다. 리더에게 유머와 웃음이 필요하다. 때로는 임원이 직원들과 친구가 될 마음을 가질 필요가 있다. 필요하다면 지휘관이 부하들과 머릴 맞대고 토론을 벌여야 한다. 분위기 다운 되었을 때는 언제라도 다가와 맥주 한 잔 하며 유머로 같이 낄낄거리기도 하는 열린 자세의 리더를 이 시대 젊은이들은 원한다. 어차피 현재의 젊은이들은 유머로 단련된 사람들이다. 허위의식, 근엄, 엄숙, 강압과 독선으론 이들의 속마음을 잡지 못한다. 수많은 부하들 보고 변하라 말고 리더 한사람이 변하는 게 더 쉽다. 껍질을 깨고 유머형 리더가 되라.

유머형 인간을 위한 액션 플랜(Action Plan)

- 조직원 칭찬은 여러 사람들 앞에서 하라.
- 부하 비난은 골방에서 당사자와 1:1로 하라.
- 협상시 상대의 질문에 말이 막히면 상대에게 되물으라. (그 쪽에선 어찌 생각하시는지?)
- 누구 앞에서도 당당하라. 돈은 없어도 되지만 당당함이 없어선 안된다.
- 외유내강, 남에게 부드럽고 스스로에게 냉철하라.

집안을 바꾼다

_ 집에 호박이 넝쿨 채 굴러들어온다

'슬근슬근 톱질하세 어서어서 톱질하세.'

흥부는 가난했다. 어느 날 다리가 부러진 제비를 고쳐주었는데 제비가 박씨를 물고 왔다. 땅에 심었더니 엄청나게 큰 박이 열려, 부부가 톱을 맞잡고 박을 캐 보니 엄청난 돈, 금은 보석, 비단과 무명, 기타 등 당시에 값나간다고 할 수 있는 모든 것들이 다 나왔다. 아마 지금으로 치면 현찰(동서고금을 막론 하고 이게 제일 중요하다. 정치인들도 현찰을 제일 좋아하고 우리 집사람도 현찰을 좋아한다. 아니, 이런 일치가! 집사람을 정치인으로 보내라는 하늘의 뜻인가, 썰렁한 농담 죄송), 보석, 수표, CD, 달러, 강남 타워팰리스 분양권, 부동산, 주식, 반도체 칩 같은 게 해당되리라.

흥부네 넝쿨 째 들어온 박만큼이나 가치 있는 보물단지가 바로 호박이란 놈이다. 늙은 호박은 죽 쑤어 먹으면 건강식이고 애호박은 송송 썰어 된장찌개에 넣으면 입 맛 없을 때 밥도둑이다. 호박은 열매뿐 아니라 잎도 귀하다. 예전엔 화장지 대용으로 사용한 호박잎이지만 웰빙 시대의 가치는 남다르다. 살짝 삶아 식힌 다음 손바닥에 넓게 펼친 후 보리밥 한 숟가락, 간장, 가지무침 돌돌 말아 크게 벌린 입에 넣으면 바로 건강식으로 '따봉!' 저자는 산 밑(이천 백사면 원적산인데 몸에 좋다는 산나물은 다 있다.)에 사는 관계로 밥 때 되면 어머니가 앞마당에서 후르르 한 움큼 따서 대충 흐르는 물에 냉큼 씻어 상 위에 척 준비하면 침이 꼴깍, 그야말로 둘이 먹다 한 분이 돌아가셔도 모를 정도.

건강에 호박이 한 몫 한다면 가정의 건강엔 유머가 단연 한 몫 한다. 되는 집안에는 반드시 유머형 가장이 있다.

암(癌)과 자식의 공통점 Best 5

1. 일단 생기면 잘 없어지지 않는다.
2. 시간이 갈수록 자란다.
3. 자랄수록 감당하기 어렵다.
4. 떼어내는데 돈이 많이 든다.
5. 당신에게 진짜 암적인 존재다.

남편이 잠자다가 목이 말라 일어났다. 그런데 부스럭 소리에 깬 아내가 하는 말,

"지금 할라꼬?"

남편은 힐끗 쳐다보곤 아무 말 없이 불을 켰더니, 요상한 눈빛으로 쳐다보며 아내 하는 말,

"불 키고 할라꼬?"

박가야?
여…여보….
제비가 "박씨"를
물어왔어요….그 죠?
왔나?
흥부….

머리맡에 둔 안경을 찾아 썼더니, 갸웃거리며 아내 하는 말,

"안경 쓰고 할라꼬?"

인상 쓰며 문을 열고 나갔더니, 눈을 반짝거리며 아내 하는 말

"밖에 나가 소파에서 할라꼬?"

못들은 척 그냥 나가 냉장고 열고 물을 꺼내 마시고 있자니,

침을 꼴깍 삼키며 아내 하는 말

"물 먹고 할라꼬? 내도 좀 도. 목 타네."

한 컵 가득 주고 도로 들어와 잠을 청하려 하니, 실망한 눈으로 쳐다보며 아내 하는 말,

"낼 할라꼬?"

속 썩이는 자식과 보채는 아내, 이 두 가지는 결혼한 남자가 겪게 되는 가장 두려운, 그러나 결코 인력으로 피할 수 없는 운명적 실체요, 현실적 업보다. 자녀를 키우는 것은 꽃을 키우는 것과 같아서 돈만으론 안 되고 사랑과 관심 인내가 필요하다.

부부관계란 정신적인 것도 중요하지만 육체적인 측면도 무시할 수 없다. 낮 성적도 중요하지만 밤 성적도 중요하다. 나이는 먹어가고 몸은 예전 같지 않고, 주치의는 40대 남성의 통계 운운하며 과로를 피하라 하고, 아내는 일찍 자는 남편을 원망하고…… 아! 어쩌란 말이냐! 이 아픈 남자들의 고뇌를.

그러나 좌절하지 말자. 돈 안들이고도 문제를 해결할 수 있는 방법이

있으니. 탐스런 호박이 익어가는 데 해와 물과 비료와 정성이 필요하듯, 한 가정이 원만히 영글려면 사랑, 관심, 건강이 골고루 필요하다. 이는 그대로 유머형 인간의 자질이기도 하다. 유머란 남에 대한 관심이고 유머엔 필연적으로 엔돌핀이란 보약이 세트로 딸려있으니 유머 있는 집이야말로 호박이 넝쿨째 들어오게 된다.

유머형 인간을 위한 액션 플랜(Action Plan)

- 자녀들에게 잘해주기보다 공평하게 해주는 것에 더 신경써라.
- 필요하면 가장이 설거지하는 모범을 보여라. 매일 해도 좋고.
- 하루 한 끼는 TV를 떠나서 가족 이야기하는 시간으로.
- 목욕, 산보 등 자녀와 함께하는 시간을 늘린다.
- 가장은 가정의 대들보, 건강을 위해 과음은 곤란.
- 고객의 지적은 회사발전의 초석, 감사하게 생각한다.
- 시켜서 일하기보다 찾아서 하자.
- 모르면 질문하고 알면 실천한다.

첫인상을 바꾼다

_ 가장 인상적인 명함을 지닌 사람

사람 한 평생이 참 고달프단 생각이 들 때가 있다. 생명이 처음 생길 때 그러니까 정자시절부터 우린 5억:1이란 로또에 당첨될 확률보다 더 치열한 경쟁에 돌입한다. 나 하나 사람 만들어보려고 유명을 달리한 4억9천9백9십9만9천9백9십9명의 동료들(차마 마리란 단어를 붙이진 못하겠다. 아무리 인간의 가치가 떨어진 시대지만)의 명복을 빈다.

어렸을 땐 교통사고, 유괴의 위험을 피해야한다. 유치원도 경쟁이다. 좀 좋은 데는 수십 대 일의 경쟁률이다. 입학시험의 관문을 어렵게 뚫고 우여곡절 끝에 졸업하여 사회에 나와도 입사가 만만치 않다. 성적이 문제군, 지방 출신이군, 미국사람에게 영어로 설득해서 이 상품 팔 수 있겠나? (그 상품이 영어로 무언지도 모른다.) 노트북가지고 북극에서 100일 생존할 수 있겠나? (나이 먹은 사람들 생각으론 요즘 젊은 사람들을 사람으로 안 보고, 무슨 노트북 먹고 노트북을 덮고 사는 외계인인 줄 안다.)

오륙도에서 사오정으로 바뀐 게 불과 1년인데 다시 1년 만에 삼팔선

이젠 더 갈 곳도 없는 이태백이다. 하여 이 나라 차떼기 공화국에 이어 백수공화국이 되었으니…….

백수의 등급

1. 초보백수

남아도는 시간을 주체하지 못해 안절부절한다. 만화 가게나 비디오 대여점 주인과 막말을 트기 시작한다. 직업을 물으면 어쩔 줄 몰라 한다.

"그냥 작년에 하던 거해요."

"작년에 뭐했는데?"

"놀았어요."

주머니가 비면 외출이 불가능하다. 남들 노는 일요일이 되면 허무하게 느껴진다.

2. 중급 백수

넘쳐나는 시간이 그리 부담스럽지 않다. 비디오 대여점이나 만화 가게주인 대신 가게를 봐주기도 한다. 주머니가 비어 있어도 일단 나가고 본다. 머리를 감지 않고 일주일 정도 버틸 수 있다.

3. 프로 백수

무궁무진한 시간을 자유자재로 활용하는 시(時)테크 전문가. 자신만의 취침 및 기상시간을 고수한다. 몇 달 몇 날을 같이 놀아도 도대체 그가 무슨 일을 하는지 아는 이가 없다. 빈 주머니일수록 당당히 행동한다. 주머니에 돈은 없지만 메모지엔 고급정보가 빽빽히 적혀 있다. 영화 무료 시사회(무료면서 남보다 앞서간다), 무료 시식(고급 백화점이나 할인점 식품 코너에서 요지로 찍어먹는데 심하게 먹으면 비만의 우려가 있다.), 무료 관람, 무료 참관, 무료 참석, 무료 참가 등에 대한 정보가 넘친다. 바쁠 땐 초를 쪼개 쓴다. 무리한 스케쥴 때문에 프로백수 중엔 과로사로 사망하는 경우도 간혹 있다.

일류대학을 나온 엔지니어 지망생이 한 회사 면접시험을 보았다.
면접관이 질문을 했다.
"회사에서 어떤 대우를 해주길 원합니까?"
엔지니어가 대답했다.
"연봉은 1억 이상 원합니다. 물론 스톡옵션도 있겠죠?"
그러자 면접관이 말을 이었다.
"거기에 의료보험 전액 면제, 여름 겨울 5주 휴가,
퇴직후 50% 급여 지급, 사원용 스포츠카 정도면 되겠나?"
놀란 엔지니어가 벌떡 일어서면서 말했다.
"와! 그거 정말이에요?"
면접관이 대답했다.
"물론 농담이지. 자네가 먼저 시작했잖아?"

공인회계사 3명이 대기업과 계약체결 인터뷰를 한다. 첫 번째 후보가 먼저 들어갔다.

"2 더하기 2는 얼마입니까?"

"4입니다."

두 번째 후보에게도 같은 질문이 주어졌다. 그는 노트북 컴퓨터를 꺼내더니 스프레드시트 프로그램을 열었다. 몇 가지 공식을 입력한 뒤 결과가 나오자 대답했다.

"4입니다."

세 번 째 후보는 같은 질문을 받자, 문 있는 데로 가서 밖에 누가 있는지 둘러보고는 문을 잠갔다. 그리고 창가로 가 블라인드를 내리고는 탁자 밑도 들여다보았다. 실내조명을 끈 뒤 질문자에게 다가가서 조용히 대답하는 것이었다.

"얼마가 되기를 원하십니까?"

한 떨기 인동초가 되어 길고도 추운 백수의 시절을 보냈다고 해서 좋은 기회가 오는 것은 아니다. 초급, 중급을 거쳐 프로 백수로 수삼 년, 이미 마음을 비운 지는 오래, 세상을 달관한 수도승처럼 마음은 고요하다. 허나 잔잔한 수면에 떨어지는 작은 돌맹이에도 수면은 이지러지나니, 막상 면접을 하자 엄마 품에 안긴 어린애처럼 떼를 쓰고 오버를 하는 모습을 보인다. 다시 낙동강 오리알 신세. 역시 인생 경륜이 묻어나는 세 번째 회계사의 신중함이 군계일학으로 돋보인다.

어렵사리 취업을 했다고 만사형통은 아니다. 백수 때는 엄마의 잔소리만 넘기면 되지만 조직에선 층층시하, 눈에 보이는 모든 사람이 다 시어머니다. 피나는 노력으로 직속상사와 동료들로부터 모범사원이라고 인정받는다고 해도 아직 행복이 시작된 건 아니다. 실적을 올려야한다. 고객과의 한판 진검승부가 남은 것인데 이 과정만 이기면 이제 더 이상 어려움은 없다. 실적을 올려주고 회사에 돈벌어주는 사람을 비판하는 회사는 세상 어디에도 없다.

그런데 고객들은 도무지 비즈니스맨들에겐 관심이 없는 듯 하다. 사실 고객들은 직원보다는 제품에 관심이 더 많다. 수십 년 애용하던 제품도 더 좋은 제품이 나오면 하루아침에 안면 바꾼다. 만약 고객(단골고객, 뜨내기고객, 잠재고객 불문)들에게 상품 이상으로 자신을 확실히 각인시키는 능력이 있는 사람이라면 그는 이미 성공이 보장된 사람이다.

고로 성공적 인간관계는 상대에게 자기를 알리는 것에서부터 시작된다. 첫 만남에서 좋은 이미지를 심어주지 못하는 사람은 개인적인 능력이 아무리 뛰어나더라도 유권자들에게 표를 얻을 수 없고 바이어와의 거래상담을 성사시킬 수도 없다. 반대로 첫인상이 좋은 사람은 설사 나중에 약간의 실수가 있더라도 만회할 수 있는 여지가 생긴다. 최초에 확보한 호감이 상대방의 양해의 폭을 그만큼 넓혀주기 때문이다. 치열한 경쟁에서 살아남아야 하는 현대의 비즈니스맨들에게 첫인상은 때론 영업이나 경영의 성패를 좌우할 수도 있다. 서점에 나와 있는 간부론이나 경영관련 서적들이 예외 없이 이 문제를 중요한 부분으로 다루고 있는 이유가 바로 거기에 있다. 종합적인 이미지 메이킹, 악수 요령, 인상 관리법 등등

좋은 첫인상을 위한 수칙 중에는 '명함 매너' 라는 것도 있다. 현대인들의 첫 만남에서는 반드시 명함이 오간다는 점을 감안할 때 이것은 매우 중

요한 영역에 속한다. 명함을 교환하는 순간에 이미지를 구겨버리면 상대에게 호감을 얻는 것은 애시당초 불가능해질 테니까. 다음은 명함 매너의 기본 원칙들이다.

- 명함은 반드시 정중하게 서서 건네라.
- 명함을 꺼내기 위해 지갑이나 수첩, 호주머니를 뒤지는 것은 결례. 명함집을 휴대하고 상대보다 먼저 꺼내도록 하라.
- 명함의 밑쪽이 상대를 향하게 해서 상대가 읽기 쉽도록 하라.
- 받은 명함은 바로 집어넣지 말고, 천천히 읽어본 다음 상대의 이름과 직책을 한 번 읽는 것이 좋다.

이런 원칙들은 확실히 중요하다. 하지만 그것만으로 좋은 첫인상이 완성된다고는 할 수 없다. 이 정도의 매너는 회사의 CEO, 중간관리자는 물론이고 사회생활 초년생들도 이미 알고 있다. 자기의 이미지를 뚜렷이 심어주려면 남들과는 뭔가 다른 더 효과적인 수단이 필요하다. 그럴 때 무엇보다도 유용한 것이 다름 아닌 유머다.

예를 하나 들어보자. 말레이시아의 쿠알라룸푸르에 본부를 둔 한 다국적기업의 CEO는 '얍 림 센' 이라는 사람이다. 그의 이름은 미국인들로서는 철자가 낯설 뿐만 아니라 정확하게 발음하기도 어렵다. 그러나 그는 처음 만나는 사람들이 반드시 자기를 기억하게끔 만드는 능력을 갖고 있다. 그것은 다음과 같은 한마디의 유머 덕분이다.

"내 이름은 얍(Yap)입니다. Pay(지불)의 철자를 거꾸로 쓰면 되죠."

이것은 사실 그리 기발한 유머라고는 할 수 없다. 하지만 상담을 하기 위해 그를 만나는 영어권의 바이어들에게는 재미있을 뿐만 아니라 좀처럼 잊혀지지 않는 기억을 남겨줄 것이 분명하다. '지불하다'라는 뜻의 이름을 가진 유머러스한 CEO……. 그의 유머가 꼭 거래를 성사시켜주는 것은 필수요소는 아니지만, 자기의 이름을 성공적으로 기억시킨다는 점 하나만으로도 최소한 산더미같이 쌓인 명함들 속의 '잊혀진' 이름들보다는 훨씬 더 낫지 않겠는가. 유머형인간은 첫 만남부터가 뭔가 색다르다.

첫 만남에서의 유머의 효과는 이름을 기억시키는 것에 그치지 않는다. 동서고금을 막론하고 사람의 본성상 자기를 긴장시키는 상대보다는 자기를 웃기고 편안하게 만드는 상대를 더 좋아하게 되어 있다. 초면에 함께 미소를 짓거나 유쾌하게 폭소를 터뜨린 사이라면 서로 마음을 열기도 편하고, 당연히 상담의 성공률도 그만큼 높아지게 된다. 많은 비즈니스맨들이 고객과의 만남 장소로 딱딱한 회사 사무실보다는 골프장이나 술자리를 선호하는 이유도 여기에 있는 것이다.

모든 사람의 이름이 다 'Yap'처럼 또 필자의 이름 김진배처럼 유머의 소재가 될 수 있는 것은 아니다. 하지만 유연하고 독창적인 마인드를 지닌 사람이라면 굳이 이름이 아니더라도 얼마든지 다양한 유머를 계발하여 자기를 소개할 수 있다. 농담이든 아니면 제스처든, 주어진 상황이나 상대의 특성에 따라 효과적인 방법을 선택함으로써 이미지 메이킹을 할 수 있는 것이다.

만일 자기의 유머감각이 그리 미덥지 못한 사람이라면 누군가를 만나기 전에 미리 적절한 조크를 준비해 두는 것이 좋다. 이름이나 직업, 나이,

메이저리그 최희섭의 성적, 외모, 시사문제, 해외토픽 또는 날씨 등 소재는 뭐든 상관없다. 사실 상대를 만나러 가는 시간 동안 오늘의 조간신문만 훑어봐도 같이 웃을 수 있는 소재는 얼마든지 있다.

문제는 유머 마인드의 유무다. 마음만 먹으면 상대를 웃게 만들 수 있는 소재는 얼마든지 있다. 유머의 위력을 인식하고 동기부여 된 사람이라면 24시간 보는 것, 듣는 것, 읽고 생각하고 느끼는 모든 것이 유머의 재료다.

자, 부담 없이 시도해보라. 자연스럽게 웃음을 유도하고 분위기를 부드럽게 만들 수만 있으면 된다. 당신이 준비한 '10초간의 웃음' 은 어쩌면 10일 동안의 영업전략 회의보다 훨씬 큰 효과를 발휘할지도 모른다. 실패하면 어쩌냐고? 실패할수록 좋다. 실패 없이 이루어지는 것은 아무 것도 없고 유머센스도 예외는 아니다. 또 썰렁하게 웃긴다고 해서 자릴 박차고 일어 날 비즈니스맨은 없다. 그저 '재미있게 해드리려 했는데 유머센스가 떨어져서…….' 이렇게 솔직하게 이야기하면 웃음은 창출하지 못하더라도 상대의 마음속에 당신의 성의와 노력이라도 기억될 테니까.

좋은 첫인상을 남기려면 '30초 법칙' 을 기억하길 바란다. 어떤 만남에서든 첫 30초 동안은 제 행동을 신경 쓰란 것이다. 그것은 단순히 명함을 어떤 손가락에 끼워서 전달하느냐의 문제도 아니고, 그렇다고 악수를 몇 초간 어느 정도의 강도로 하느냐의 문제도 아니다. 처음에 어떤 말과 표정과 행동으로 상대의 마음을 사로잡느냐에 따라 만남의 결과가 180도로 달라질 수 있다는 뜻이다.

유머는 이 모든 것을 한꺼번에 만족시킬 수 있는 훌륭한 수단이다. 첫 만남에서 유머로 상대의 웃음을 이끌어낼 수 있는 사람은 굳이 기발한 명함을 만들거나 30초라는 시간을 재기 위해 시계를 들여다볼 필요가 없다. 그가 구사하는 한마디의 유머가 바로 가장 인상적인 명함이며 무엇보다도 효과적인 인사이기 때문이다. 사람들과의 만남이 잦은 비즈니스맨이라면 헤어스타일이나 손수건의 색깔, 겨드랑이에 뿌리는 향수의 선택 등을 고민하기에 앞서 가장 먼저 '유머라는 이름의 명함'을 확실히 준비해야 할 것이다. 유머라는 명함이 있다면 상대는 당신을 더 빨리 더 쉽게 기억할 것이며, 또 당신이 없는 자리에서도 누군가에게 당신을 소개할 것이다. 유머가 없다면 수십 년이 걸려야 도달할 위치를 유머 때문에 단 수년 만에 도달할지도 모른다. 유머형인간은 남보다 성공의 길을 더 빨리 가는 사람이다.

유머형 인간을 위한 액션 플랜(Action Plan)

- 명함을 재점검하라.
- 상대의 이름을 기억하라.
- 자신의 이름을 기억시키라.
- 악수할 때 상대의 눈을 본다.
- 중요한 비즈니스 만남 첫 대화, 오늘 조간신문에서 읽은 가장 재미있는 화제로 출발.

밤이 즐겁다

_ 유머는 정신의 비아그라다

때때론 한없이 가벼우면서 때론 한없이 무거운 것이 있다. 솜하고, 물 먹은 솜이라고? 그런 게 아니다. 힌트! 성인용 조크, 우리 신체의 일부. 그래도 모르시겠다고?

문 세상에서 제일 가벼운 것은 무엇일까?

답 페니스.

왜냐하면 생각만으로도 올라가니까.

문 그럼 가장 무거운 것은요 ?

답 역시 페니스.

스스로 원하지 않으면 기중기로도 끌어올릴 수 없으니까.

과연 그렇다. 자유의지만 있다면 하늘을 찌르지만 생기를 잃으면 하염없이 고갤 숙이는 것이 페니스(penis)다. 순수 우리말도 있으나 표현의 품격을 높이기 위해 영어로 썼다. 한자나 외래어로 쓰면 고품격이고 한글은 대부분 천박한 뜻이 된다. 이 역시 고정관념에서 우러나온 잘못된 것으로서 유머리스트라면 응당 꼬집어야하나 주제가 다른 관계로 다른 지면에서 언급하기로 하자. 외래어를 쓰기도 이상하고 순수 우리말이면서도 어떤 명칭도 대신 나타내주는 다중다기능복합대명사인 '거시기'를 사용하기로 한다.

아무리 돈이 없고, 학력이 없고, 못생기고, 무능해도 남자 세계에서 거시기만 짱짱하다면 하늘아래 두 팔 벌린 나무들같이, 무럭무럭 자라나는 들꽃같이 어깨를 펴고 지낸다. 그러나 다른 조건이 아무리 뛰어나도 거시기가 불량하다면 남자로서 그는 고갤 숙일 수밖에 없다. 하여 이조시대 돈이 궁하여 배불리 먹으려 스스로 내시가 된 스토리는 뭇 남성들의 심금을 울리는 통절한 사건으로 다가오는 것이다.

고개 숙인 남자, 궁형을 받아 평생을 모욕감에 치를 떤 사기의 작가 사마천을 동병상련으로 느끼던 이 땅의 수많은 거시기부실증환자들에게 비아그라는 분명 복음(福音)이었고, 천지개벽의 신호탄이었다. 청춘예찬, 다시 돌아갈 수만 있다면, 38선 보다 더 한이 맺혔던 거시기신경선에 불을 밝힌 대사건이었다. 훗날, 일부 이미테이션 전문가에 의해 누에그라(누에로 만든 제품, 근데 누에도 발기하나?), 누비그라(누에그라의 자매품으로 이불 혹은 침대를 누비란 뜻으로 사료된다.), 밝히그라, 또하그라, 힘내그라, 커지그라 등 수많은 제품이 나왔으나 후발주자의 한계를 극복하지 못한 채 사람들의 망각 속에 이름모를 별똥별처럼 하염없이 사그라졌다. 지금까지 사람들의 뇌리에 강력히 기억되고 있는 것은 오로지, 유아독존, 독야청청, 비아그라뿐이다.

비아그라는 죽은 거시기를 살린다. 신경을 통하게 하고, 피를 통하게 한다. 단번에 단독주택이 빌라가 되고, 빌라가 아파트로 변한다. 거시기가 살아나면 많은 것이 달라진다. 밤이 즐거워지고 기다려진다. 아내에겐 웃음꽃을 피게 하며 자식에겐 동생을 선사해준다. 직장 일도 재미있고 술자리에서 목소리 볼륨까지 커진다.

육체적 비아그라가 이리도 위대한 역할을 수행한다면 정신적 비아그라는 없을까? 육체적으로는 한 점 하자도 없는 사람들조차 정신적으로 침체되어 있는 사람들이 주위엔 너무 많다. 모두 정신적 비아그라가 필요한 사람들이다. 육체를 위한 비아그라는 내과나 비뇨기과 전문의의 처방전이 필요하지만 정신적 비아그라를 얻는 데는 처방전도 필요 없고, 약국에서 기웃기웃 남 눈치 볼 필요도 없고, 돈도 들지 않는다. 물론 하루 종일 기립자세로 외출을 못한다든가, 간혹 목숨을 잃는다든가 하는 부작용도 전혀 없다. 그게 무얼까? 바로 유머다.

섹스와 스포츠의 차이점

육상은 시간을 단축하면 할수록 좋다.

섹스는 시간을 단축하면 맞아 죽는 수도 있다.

승마는 배워야만 탈 수 있다.

섹스는 배우지 않아도 탈 수 있다.

사격은 입을 꼭 다물고 한다.

섹스는 입을 벌리고 한다.

농구는 드리블을 하고 넣는다.

섹스는 넣은 다음 드리블을 한다.

씨름은 바닥에 무릎이 닿으면 진다.

섹스는 바닥에 무릎이 닿고부터 시작이다.

골프는 18개의 홀에 다 넣어야 게임이 끝난다.

섹스는 한 홀에만 집어넣으면 된다.

오랜 동안의 장삿길에서 돌아온 남자가 집에 돌아와 회포를 푼다. 색시가 먼저 목욕을 하면서

"자기, 절대로 내 핸드백을 열어선 안돼!"

하지만 궁금함을 견디다 못한 신랑은 핸드백을 열었는데 가방에는 콩 1개와 3만원이 들어 있는 봉투가 있었다. 신부가 목욕을 마치고 나오자,

신랑 미안해 자기, 내가 핸드백을 열어봤어. 그게 무엇인데 ?

색시 이제부터 내가 하는 말을 듣고도 화내지 않을 수 있어요 ?

신랑 맹세할 게.

색시 실은 콩은 제가 남자랑 잘 때에 하나씩 받은 거예요.

신랑 (요즘 여자들은 다 그렇지 라고 생각하며) 괜찮아, 한 번뿐인데 그럴 수도 있지, 그럼 3만원은?

색시 콩 판돈이에요.

섹스와 스포츠, 전혀 관계가 없는 것인 줄 알았는데 묘하게도 정 반대되는 면이 상당히 있다. 콩 판 돈이 3만원이라니 어이가 없다. 한 번의 실수인줄 알았더니 색시는 얼마나 바람둥이인가?

두 내용은 물론 지어낸 이야기이고 그냥 지나치면 황당하고 과장된 우스개로 치부할 수 도 있다. 그러나 다른 시각으로 본다면? 당신 같으면 이런 이야기를 지어낼 수 있는가? 물론 성공할 수도 있겠지만 그리 만만치 않을 것이다.

약관의 나이부터 수십년 유머의 세계를 연구한 필자도 마찬가지다. 성인조크, 건전 조크를 수도 없이 만들었지만 인구에 회자되는 완제품보다 함량미달로 중도에 솎아낸 미숙성 유머나, 사용자에게 외면 받은 리콜 유머가 더욱 많다는 것을 고백한다. 그만큼 제대로 된 유머는 고농도의 압축 영양식품 같은 것이다.

앞 이야기는 A와 B의 대조를 활용한 대조기법 유머의 일종인데 이는 우리의 분석력, 판단력과 관련된 분야다. 뒤 이야기는 A 인줄 알았는데 마지막에 B로 판명 나는 방법을 활용한 것으로 반전, 반(反)기대 기법에 해당한다. 우리의 고정관념을 깨주고 추리소설적인 반전의 쾌감을 주며, 웃음과 함께 몰두하게 해준다.

어떤 방법론으로 이루어졌든 유머는 사람들에게 웃음, 쾌감, 통찰력, 창의력, 분석력을 제공해준다. 또한 웃음은 그 자체로 장을 자극한다. 생각해 보라. 옛 말에 웃으면 배꼽이 빠진단 말이 있다. 눈이나 코가 빠지는 게 아니고 배꼽이 빠진다함은 배꼽 주위 즉 단전(공명)이라하는 배꼽주위 아랫배 부분이 빠질 듯이 당긴다는 말이다. 쉬운 말로 하면 요즘 한참 웰빙 족들이 즐기는 단전호흡(복식호흡)이 이루어진다는 말이다. 이게 중요하다. 잠깐 주목해보라. 이 내용을 도식화하면 이렇다.

- 유머하면 → 웃는다.
- 웃으면 → 배꼽이 빠진다.(복식호흡)
- 복식호흡하면 → 장이 풀린다.
- 장이 풀리면 → 척추가 바로 선다.
- 척추가 바로 서면 → 뇌에 자극을 준다.
- 뇌에 자극이 가면 → 정신이 발달된다.
- 정신이 발달하면 → 똑똑하고 활기찬 사람이 된다.
- 똑똑하고 활기찬 사람이 되면 → 비즈니스가 잘 풀린다.

더 이상은 쓸 필요가 없겠다. 개인에 따라 부자되고, 성공하고, 사업 번창하고, 리더십 늘고, 연봉 올라갈 것이다. 도식화하면 길지만 실제론 우리 몸 안에서 거의 동시적으로 이루어진다.

처음엔 싹싹하고 똑똑한 신입직원이었지만 군중에 함몰된 채 부유물처럼 무기력해진 자신을 발견한 적이 있을 것이다. 웃음도 활기차지 않고, 설득도 강력하지 않고, 아는 것도 없고 모르는 것도 없고, 술에 물탄 듯 물에 술탄 듯 무뇌아처럼 현대인들은 진정한 사고를 멈춘 지 오래다. 그러니 빛나는 창의력도, 조직을 살리는 기발한 아이디어도 나올 수 없다. 육체는 멀쩡할지라도 정신은 폐차 직전이다. 조직에 함몰되어 지내는 사람들의 비극이다. 엔진이 오래되면 때가 끼고 주기적으로 보링을 해야 한다.

정신의 보링제, 그게 바로 유머다. 유머형 직원은 맑은 정신, 활기찬 느낌을 주기에 어디에서나 환영받는다.

이기심으로 가득 찬 사람도 유머형 직원이 되면 동료와 고객들을 포용한다. 독선, 아집에 가득 찼던 사람도 유머그라를 복용하면 윈윈 맨, 협동형 인간이 된다. 작은 거시기가 큰 거시기로 변하는 것 이상으로 작은 정신이 큰 정신으로 변할 필요가 있다. 우리 사회의 독선, 아집, 이기심, 지역감정, 편견은 이미 사회악 수준을 넘어 국가 경쟁력을 떨어뜨릴 지경까지 되었다. 누워있는 거시기가 일어나는 것 이상으로 우리의 무기력한 정신이 힘을 받아 하늘 높이 일어나야 한다. 무기력, 우울증, 자포자기, 변명, 매너리즘, 복지부동에서 떨쳐 일어나자. 초강력 유머 한 방이면 생동감, 자신감, 삶의 의지, 도전정신이 샘솟게 된다. 축 처진 정신에 두뇌용 비아그라, 유머를 투약하라.

유머형 인간을 위한 액션 플랜(Action Plan)

- 상사의 꾸지람도 웃음으로 받자.
- 활기찬 출근인사 정성스런 퇴근인사, 돈 안들이고 인기맨되는 지름길.
- 고객의 지적은 회사발전의 초석, 감사하게 생각한다.
- 시켜서 일하기보다 찾아서 하자.
- 모르면 질문하고 알면 실천한다.

하늘이 스스로 돕는다

_ 신이 인간에게 준 최고의 선물, 유머

"내게 있는 모든 것을 아낌없이 드리네…… 주께 드리네."

일요일 오전 서울 한 대형교회 성가대원들이 경건한 마음으로 찬양을 한다. 지휘자는 열정적이다. 피아노, 파이프 오르간은 물론 바이올린 등 현악기, 금관악기 타악기까지 혼합된 준 오케스트라 규모의 성가대다. 한 주일 내 직장에서 일하고 쉬는 주말이지만 이들은 전혀 억울해하거나 힘들어하는 눈치가 아니다. 외려 주일을 주(主)께 돌려드리는 게 너무나 당연하고, 자신들이 조물주에게 돈과 시간과 기도와 찬양과, 마음을 드린다는 게 너무 감사하다는 말을 하고 있다.

사람들은 신에게 많은 것을 제공한다. 제사, 예배, 십일조, 찬양과 기도, 같은 시간 수많은 성당에선 미사, 찬미가 역시 신에게 드려진다. 불교에서야 조물주를 인정하지도 않고 유일신을 섬기진 않지만 사람들은 정성으로 염불을 외고 108배를 한다.

신에게 헌신하고 있는 사람들의 얼굴을 보면 하나의 공통점이 있다. 힘들어한다거나 지겨워한다거나 하는 경우는 일부 직원들 빼곤 발견되지 않는다는 것이다. 모두가 진지하고 전부 다 만족한 얼굴이다. 아무리 봐도 밑지는 장사를 하는 얼굴이 아니다. 수 십 만 원짜리 드레스 판매원이나, 수천만 원짜리 외제 승용차를 막 계약시킨 세일즈맨보다 더욱 수지맞은 얼굴을 하고 있으니 희한한 일이다.

그들의 공통점은? 그들은 모두 웃고 있었다. 조물주는 인간에게 유머와 웃음이라는 최고의 선물을 준 것이다. 사람들이 신에게 아무리 많은 것을 드린다 해도 남는 장사인 이유는 이 유머와 웃음이란 게 큰 이익을 주는 도깨비방망이란 점에 연유한 것이다.

한국에서 몇 년 근무한 선교사가 서툰 한국말로 '송구영신 예배' 인사말을 하고 있다. 대충 말은 하지만 한 가지 아쉬운 점은 해와 년의 구분을 잘 못한다는 것.

친애하는 성도 여러분,

오늘 한 해 마지막 밤 예배를 드립니다.

이 밤이 지나면 드디어 이 년이 가고 새 년을 맞습니다.

오는 년을 맞이함에 있어

새 년과 함께 보낼 몸과 마음의 준비가 필요하듯

간 년을 과감하게 정리하여야 할 마음가짐도 중요합니다.

지난 년을 돌이켜 보면 여러 가지 꿈을 달성한 끝내주는 년도 있었지만 반면에 어떤 년은 실망스럽고, 어떤 년은 참 재미있었습니다.

새 년은 어떤 년일까 하는 호기심과 기대도 있겠지요.

그러나 가장 중요한 것은

이 년 저 년 할 것 없이

모두가 하나님이 주신 년이란 것입니다.

그럼 여러분, 어떤 년을 맞아도 잘 살아야 합니다.

선교사는 수년을 한국에서 살았어도 년과 해, 두 단어의 미묘한 차이를 구분하지 못했다.

공학도들은 자기의 관점에서 만물을 판단한다. 그러나 신은 한국어로 기도하든 영어로 기도하든 기가 막히게 잘 알아듣는다. 신은 각각의 인간에게 가장 중요한 것이 무엇인지 안다. 그래서 그 것을 인간에게 주었는데 그게 바로 유머다.

"일소일소 일노일노(一笑 一少 一怒 一老)"

한 번 웃으면 한 번 젊어지고 한 번 화내면 한 번 늙는다는 말이다. 웃음은 우리 몸속에 엔돌핀을 만들어 면역성을 강화하고, 피부를 윤기있게 만들며, 소화기능에 특히 좋아서 식사시간의 즐거움과 유머는 최대의 반찬이다. 웃음은 혈액순환에 좋으며 내장의 활동을 도와주고, 성인병의 예방에 좋다. 한참 설명하다보니 무슨 만병통치약 선전같이 되어버렸는데. 맞다. 유머와 웃음은 조물주가 인간에게 준 최고의 선물이다.

우리가 비싼 돈 주고 구입한 약이나 건강식품 중에는 믿을 수 있는 경우보다 믿을 수 없는 경우가 더 많다. 그래서 어쩌다 한 번 건강식품을 먹었는데 효험이 있을 경우 너무너무 고마워 여기저기 전화하며 그 사실을 알린다. 그런데 전화를 받은 사람들은 그 전화 내용을 잘 안 믿으려 한다.

"정말이야, 그 건강 식품이 효과가 있다고 안 믿어지는 걸?"

아니 돈 들여 산 건강식품이 그 돈만큼 효험이 있는 것은 당연한 일 아닌가? 그러나 당연한 일도 믿지 못할 만큼 인간 사이의 거래는 엉터리가 많다. 좋아지기는커녕 부작용이 없는 것만 해도 다행인 경우가 너무 많다. 각종 중금속, 함량 미달, 유해색소, 비위생적 제조, 식품담당 공무원에게 뇌물, 이런 일이 우리에겐 너무 익숙하다.

그러나 신의 선물인 유머와 웃음은 그런 부작용도 없고, 무슨 유머 담당 공무원과 관련된 비리도 없다.

'오늘 새벽 검찰은 가짜 웃음을 진품으로 속여 제공한 하늘나라 부속 실장을 긴급 구속했다.'

뭐 이런 뉴스가 나와 사람들을 실망시키는 경우도 존재하지 않는다. 그야말로 조물주가 선물한 유머와 웃음은 함량 100%, 순도 100% 짜리 하늘나라표 순정품인 것이다.

노마 카슨즈에게 어느 날 갑자기 얼굴을 제외한 전신마비가 왔는데 치료의 방법으로서 수개월간 재미있는 생각을 하기도 하고 코미디프로그램을 시청하며 마음껏 웃었더니 몸의 마비가 서서히 치유됐다. 유머형인간은 이 세상에서 신이 인간에게 준 가장 값지고 귀한 선물이 유머요, 웃음이란 걸 잘 안다.

유머형 인간을 위한 액션 플랜(Action Plan)

- 숨쉴 수 있는 공기에 대해 감사하자.
- 에너지의 근원 태양을 보고 감사하자.
- 안식처인 가족에 대해 감사하자.
- 직업에 대해 감사하자.
- 국가에 대해 감사하자.

아이들을 바꾼다

_ 선생님에게 가장 필요한 기술, 유머

선생 똥은 개도 안 먹는다는 말이 있다. 제대로 알아듣지는 못하고 장난치고 시끄럽고 산만한 학생들 가르치기에 지쳐서 속이 썩었기 때문이다. '선생님' 하면 생각나는 게 몇 가지 있는 데 그 중 대표적인 게 사랑의 매다.

중학 때 미술 선생님(일명 미친 개)의 몽둥이엔 태극문양이 새겨져 있었다. 아마 나라를 다시 살리겠다는 의지의 매였던 듯 하다. 한 가지 특이한 것은 평소엔 일본 전통 연극인 가부끼에 출연한 창백한 얼굴의 남자 배우같이 과묵하다가도, 학생들 때릴 때만은 만면에 함박웃음을 짓던 엽기적인 스타일이었다. 고등학교 때 화학 선생님(일명 늑대)은 너무 매를 많이 때려 일년 삼백예순날 항상 오른 손이 헐고 물집이 잡혀 항상 붕대를 감고 다녔다. 훗날 동창회에 나가 물어보니 그 분의 맨 손을 본 사람이 개교 이래 아무도 없었다 한다. 이 분의 하루는 말 그대로 학습 반 매 반이었다.

예전 선생님들은 매를 통해 스승의 권위를 찾았다. 몽둥이와 회초리는 그들 삶의 상징이었고 인생의 보람이었으며 비가 오나 눈이 오나 묵묵히 옆에 있어 준 진실한 친구였다.

그러나 세상이 변했다. 긴긴 밤, TV 도 없고 인터넷채팅도 불가능했던 그 때 그 시절 그땐 최하 5남 8녀, 7남 3녀였는데 그 시대와 지금이 같을 리 없다. 지금은 많아야 두 명이고 보통 아이를 하나만 낳는다. 전에야 애가 맞고 오면 선생님께 다시 데려가 좀 더 때리라고, 가정교육을 못시켜 죄송하다고 석고대죄하며 빌었지만, 지금은 돋보기 들이대고 애 몸을 샅샅이 관찰한다. 만에 하나 상처가 발견되었다면? 선생이고 뭐고 사생결단이다. "당장 소송할거야! 누가 내 자식을 때렸어!" 이러니 점점 가르치다는 일에 종사하는 게 만만치 않다.

정도의 차이는 있겠으나 기타 교직자(유치원 유아원 교사, 필자 같은 산업 강사, 대학 교수, 그리고 학원 강사)에게도 남을 가르친다는 건 결코 녹녹치 않은 일이다.

아침이다. 엄마가 아들을 깨운다.

"얘, 일어나서 학교 가야지?"

그러자, 아들은 짜증 섞인 어조로 투정을 부린다.

"싫어요. 학교 가기 싫단 말이에요."

"학교 가기 싫은 이유 두 가지만 대봐."

"아이들이 다 저를 싫어해요. 그리고 선생님들도 저를 다 싫어한단 말이에요."

"그건 이유가 안돼. 어서 일어나거라."

"그럼 제가 학교에 가야 되는 이유를 두 가지만 대 보세요."

"좋아. 넌 지금 57살이고, 그 학교 교장이잖니."

평교사만 힘든 게 아니고 교장도 힘들다. 나이가 많다든지 직위가 높다해서 무조건 복종해주는 시대는 이미 지났다. 오히려 나이를 먹고 직위가 높다는 것 때문에 불이익을 당하는 경우가 다반사다. 대인관계 능력과 리더십이 교사에게도 절실히 요구된다. 교사 최불암은 뭔가 어설픈 교사다. 얼마나 공부를 안했기에 수학의 정석시리즈의 저자 홍성대도 모르는지. 아마 영화 '두사부 일체' 에 나오는 학교 비슷한 데서 이사장 백으로 특채된 케이스는 아닌지 모르겠다. 어쨌거나 이 시대 교사에겐 전공에 대한 확실한 지식, 교습 능력, 리더십, 상담 능력, 카리스마와 부드러움 등이 종합적으로 요구된다.

갈수록 교사라는 직업에 회의를 가진다거나, 심지어는 환멸을 느낀다는 교사들이 늘고있다. 공부 잘하는 애들은 다 아는 내용이라 관심이 없고 못하는 애들은 몰라서 관심이 없다. 학교 교육이 사교육의 들러리 정도로 취급 받고 있다. 교사들의 사기를 떨어뜨리는 데는 교육 고위 정책을 맡은 자들의 책임도 크다. 조령모개 식으로 교육부총리가 바뀌면 큰 정책이 바뀌고, 교육감이 바뀌면 중간 정책이 바뀌고, 교장이 바뀌면 소 정책이 바뀐다. 어느 장단에 춤을 추어야할지 모른다. 학부모는 어떻고.

학부모들은 끊임없이 신경을 곤두세우며 사교육과 공교육, 학원 강사와 학교 교사를 비교 분석 검증하고 다닌다. 사실 완벽한 교사를 주문하기 전에 학부모도 가정교육을 책임지고 있는 준교육자로서 교육 노하우를 익혀야 한다. 집에서 애들이 배운 건 딱 두 가지. 부모가 기분 좋을 때 떼쓰면 다 해준다. 과잉보호, 응석받이. 그리고 부모가 화낼 땐 피하는 게 수다. 원칙이 아니라 감정이 지배한다.

두 대학생이 있었다.

둘은 시험을 잘 보기 위해서 피터지게 공부했다.

그런데 시험 전날, 친구 결혼식에 갔다가 술을 너무 많이 마셔서 시험시간에 늦고 말았다.

지금 출발해도 너무 늦을 거라고 생각한 두 친구는 말을 맞췄다. 그리고는 담당교수에게 가서 사정을 했다.

"교수님, 어제 친구 결혼식에 갔다가 돌아오는 도중에 타이어에 펑크가 나는 바람에 늦고 말았습니다. 제발 봐 주세요~~."

교수는 그들의 말을 들어줬다.

"좋아. 내일 교수실로 오도록."

두 학생은 다음날 교수실로 가서 필기시험을 보는데 1번 문제는 10점짜리로 아주 쉬운 문제였다. 그런데 2번 문제에서 펜을 놓고 말았다.

2번.(95점) 이 문제를 맞추면 행운아로 인정하지. 어느 쪽 타이어였지? 그리고 몇 시? 아~. 타이어가 펑크가 나서 어떻게 처리를 했는지도 말해주게.

거짓말이 빤하다고 해서 화를 내고 짜증을 냈다면 아마 두고두고 사제사이는 존경과 신뢰가 없는 물과 기름이었으리라. 이게 바로 학원 황폐화 아닌가? 그러나 유머러스한 문제를 냄으로 해서 대학생들에게 '인생은 어설픈 잔꾀로는 살아갈 수 없다.'는 지혜를 주고 있다. 그 뒤 학점을 제대로 주었는지는 모르지만 두 대학생의 머리 속에 오래오래 교수님의 학습방법이 소중한 추억으로 기억되었을 것이다.

시대가 변했다고, 군사부일체 시절이 그립다고 한탄만 하는 것은 패배주의 정신이다. 세상보다 더 빨리 변하는 교사가 되자. 세상이 변해도 유머형 교사는 언제나 어디서나 대환영받는다. 상대 중심의 교육, 스스로 느끼게 하는 교육이야말로 유머형 선생님의 장점 아닌가?

유머형 인간을 위한 액션 플랜(Action Plan)

- 학생들의 질문에 대해 칭찬한다.
- 여름날 오후 첫교시 수업, 졸음 예방할 첫 사랑 이야기를 서비스 해준다.
- 말투에 유머식 변화를 준다.
- 학생들의 관심사에 대해 친구 입장에서 대화를 나누자.
- 소풍 날 멋진 댄스와 최신 가요를 선사하는 짱선생님에 도전해 보자.

분위기를 바꾼다

_ 최고의 프레젠테이션 도구를 지닌 사람

당의정효과라는 게 있다. 쓴 약을 안 먹는 어린이들을 위해 약의 표면을 달짝지근한 재료로 만든다. 일단 입에 달기 때문에 약을 먹는 것이다. 프레젠테이션은 쉽지 않다. 왜? 인간은 남의 말에 관심이 별로 없는 존재이기 때문이다. 남이 말하는 정보가 필요한 시대는 지났다. 지금은 정보가 흘러 넘쳐 너무 많아서 문제다. 이제 광고의 홍수, 각종 상품 선전, 각 정당의 이데올로기 등에서 해방되고 싶어 한다. 조용한 숲 속에서 새, 벌레소리를 들으며 산책하고 싶고, 선방에 가서 명상이나 하며 내면의 소리에 귀 기울이고 싶은 게 현대인의 심정이다. 이러니 남에게 내 말을 듣게 한다는 게 참으로 힘들다. 마이동풍, 우이독경.

또한 현대인들은 매스컴의 발달로 배한성, 송도순 등 최고의 성우의 말소리에 익숙하다. 거친 말투, 불분명한 발음을 인내심을 가지고 들어줄 수가 없다. 그래서 대화보다는 TV시청을 선택하고 설교나 강의를 듣는 것보다는 인터넷에 몰두하는 것을 훨씬 선호한다. 소개팅에서 버벅거리는 남자를 보고 순수하다고 평하는 사람은 찾아보기 힘들다.

대학에서 강의 듣다가 프레젠테이션의 차이를 실감했다. 유머센스가 뛰어나고 청중 장악 능력이 있는 교수들은 자신이 알고 있는 진리를 학생들에게 확실히 전달했다. 학생들의 눈빛은 금성처럼 반짝거렸으며 입가엔 잔잔한 미소가 흘렀다. 강의 만점, 학습 만점, 그야말로 완벽한 수업이었다. 마치 어린 송아지가 어미 소의 젖꼭지에 입술을 밀착하고 최후의 한 방울 까지 쪽쪽 빨아먹는 모습 같다고나 할까?

반면에 유머센스가 떨어지고 청중의 반응에 전혀 관심이 없는 교수도 있다. 공부는 많이 해서 엄청 두꺼운 안경 끼고 그나마 책에 눈을 바짝 들이대고 강의를 한다. 학생들에게 강의를 하는 게 아니고 책에다 하는 듯하다. 말투는 육군 의장대 장병들 키같이 높낮이 없이 일정하다. 그 어려운 내용을 더욱 어렵게 전달하는데, 그 내용이 본인이야 이해되겠지만 학생도 이해할까? 남이야 이해하든 말든 혼자 독백하듯 읊어나가는데 한 일분 지나면 질려버린다. 남은 49분은 수면시간이다. 대학 강단 대신 불면증 환자를 위한 클리닉에 초빙 받으면 명강사로 추앙받으리라.

돈으로 따져보자. 한 학생 등록금 수백만원 강의의 2/3가 이런 교육이라면 한 학생당 200만원, 클래스로 따지면 곱하기 50해서 천만 원, 대학 전체로 따지면 곱하기 500해서 50억, 대한민국 전체로 하면 곱하기 500해서 2조5천억이라는 천문학적인 교육낭비가 대학에서 이루어진다. 다시 초중고 산업교육계까지 합하면 곱하기 10해서 25조라는 금액이 낭비되는 것이다. 1년이면 50조가 된다. 학생들이 조는 시간에 공부한 것과 비교하면 곱하기 2해서 100조를 추정할 수 있다. 100조원! 가정이나 개인 간 대화, 종교기관의 설교 등을 빼고도 한 해 100조를 유머센스 부족으로 낭비하는 것이니 통탄할 일이다. 이 돈이면 우리가 국방, 경제, 문화, 지역, 빈민 등을 위해서 얼마나 요긴하게 사용할 것인가 생각하면 잠이 안 올 지경이다. 이러니 학생들도 학교에서 공부 안하고 엉뚱하게 다음 같은 짓이나 하고 있다.

시험 날 꼴불견 백태

1위 : 시험 때만 되면 교육 현실 비판하는 아이

2위 : 틀린 답끼리 맞춰보며 좋아하는 아이

3위 : 시간 계획만 짜다가 밤 꼴딱 새는 아이

4위 : 자기 등수보다 반 등수에 신경 쓰는 아이

5위 : 누가 빨리 쓰고 나가나 시합하는 아이

6위 : 시험지 엄청 빨리 내고 복도에 나가 친구 이름 고래고래 부르는 아이

7위 : 당일치기로 밤새워 왔는데, 시험일정 잘못 알아서 그 다음날 것 준비해온 아이

8위 : 시험범위가 기억이 안 나서 다음 단원까지 공부해온 아이

9위 : 컨닝페이터 밤새도록 쓰고 아침에 공부방 책상에 두고 온 아이

10위 : 자기랑(50등) 똑같은 놈(49등) 답안지 컨닝하고 보여줘서 고맙다고 떡볶이 사주러 가는 아이

11위 : 공부는 안하고 맨날 머리 좋아지라고 엠씨스퀘어만 보다가 사팔뜨기가 된 환장할 아이

12위 : 반에서 1등하는 아이한테 공부 잘 하는 비결 묻고는 그 놈이랑 똑같이 맨날 잘 것 다 자고, 교과서 중심으로 공부하고, 수업에 충실하다가 그 놈은 또 1등 하는데, 지는 성적 더 떨어져서 비관하는 놈.

13위 : 자기 성적은 기억도 못하는 데, 재는 몇 등이고 재는 몇 등이고 줄줄이 외우고 다니는 놈.

14위 : 책에다 색색으로 형광펜, 빨간 펜에다가 포스트잇까지 붙여가며 노트하고 손에 색연필 4자루씩 바꿔가면서 밤새도록 줄치고는 시험 때 글자는 생각 안 나고 색깔밖에 기억 안 나는 한심한 놈.

15위 : 공부 못 한다고 꾸중하는 부모에게, 요즘 비관 자살하는 애들이 얼마나 많은 줄 아냐고 외쳤다가 제발 부모 고생시키지 말고 나가 죽으라고 더 두들겨 맞는 불쌍한 놈.

16위 : "너는 원래 머리가 좋은 데, 친구를 잘못 사귀어서 그렇다" 라고 말하는 엄마 말 듣고 괜히 잘 지내던 친구들이랑 절교하고 성적 더 떨어지는 마마보이.

17위 : 책상 위에다가 잔뜩 컨닝거리 적어놓았다가 자리 바꿔 앉으란 말에 혼절하는 놈.

멋진 선생님들은 학생들이 힘들어할 때 자신의 체험담을 구수하게 말

한다. 생각해보라. 당신이 학창시절 오후 첫 교시 졸릴 때였으리라.

"이 놈들 졸리냐?"

"네, 선생님! 졸린데 첫사랑 얘기해 주세요."

"그래 해주마. 음…… 때는 바야흐로……."

누구나 이런 추억이 있을 것이다. 얼마나 신나고 흥미진진한 시간이었는지를 당신은 생생히 기억할 것이다. 그야말로 유머형 교사는 학생들의 스타였던 것이다. 재미있는 내용에 말투까지 유머러스하면 금상첨화다. 다음 유머를 잠시 감상해 보자.

성적을 비관한 고3학생이 자살을 하려고 학교 옥상으로 올라갔다.

"행복은 성적순이 아니잖아요."라고 외치는 그 학생의 소리에 모든 급우들과 선생님들이 나와 말리려고 해 보았지만 그 학생은 막무가내였다.

연로한 교장 안 돼

담임 어서 내려오너라.

여자 친구 어서 내려 와! 흑흑.

이때 우리의 호프 만복이가 나타나 소리쳤다.

"임마! 그 정도 일로 죽으면 안돼! 우리에겐 아직 할 일이 많잖아!"

그러나 옥상의 학생은 들은 체도 안 했다.

"아냐! 죽어버릴거야!"

그러자 만복이가 당황한 듯 크게 소리쳤다.

"야, 안돼!! 너 나랑 다음 주 주번이야!"

내용도 내용이지만 말투가 중요하다. 연로한 교장 선생님의 가래 끓는 말투, 담임의 안타까운 말투, 여자 친구의 가련한 말투가 등장하고, 이어서 우리에겐 할 일이 많다는 만복이의 말투는 어때야 할까? 여기서 웃어선 안 된다. 마치 최민수나 배용준의 대사같이 진지해야 한다. 그러다가 '주번이야' 하는 마지막 말투를 마치 영구처럼, 맹구처럼 발음해야 마지막 반전이 이루어지며 이 유머의 전체 맥이 산다.

프레젠테이션 기술은 다른 어떤 능력보다 중요하다. 기술이 발달하고 문명이 발달해도 성공의 핵심은 남을 이해, 납득, 공감, 설득시키는 것이다. 인터넷을 다루는 능력 차이는 그다지 많이 나지 않는다. 기계를 다루는 솜씨는 오십보백보다. 그 차이로 인한 수입차도 그리 크지 않다. 그러나 프레젠테이션 능력의 차이는 상상을 초월한 결과를 가져온다. 프레젠테이션 능력 때문에 미인을 차지하게 되고 바이어를 설득하게 되는 것이다.

장군이 되어 수많은 장병들을 독려하는 명지휘관이 되고 싶은가? 구름같이 몰려오는 수강생들로 인해 부와 명예를 차지하는 명강사가 되고 싶은가? 마음에 드는 여성을 유혹하는 플레이보이가 부러운 적이 있었는가? 필드에 나갈 때마다 계약을 체결해 붉은 막대그래프가 죽죽 하늘을 찌르며 올라가는 판매여왕을 꿈꾸고 있는가? 거절과 반대를 이기지 못해 사기가 떨어진 파트너에게 힘과 에너지를 불어넣는 스폰서가 되고 싶은가? 네트워크마케팅 랠리에서 수많은 사업자들의 기립박수를 받으며 꽃다발을 받는 사업자의 환상을 가지고 있는가? 이 모든 게 프레젠테이션으로 이루어지며 그 관건은 유머다. 멋진 프레젠테이션으로 인한 멋진 인생의 설계자, 바로 당신, 유머형 강사다.

유머형 인간을 위한 액션 플랜(Action Plan)

- 자신에게 맞는 유머말투를 하나 발굴하라. (보기: 여자 말투, 남자, 노인, 건달, 변사투..)
- 청중을 휘어잡는 자신만의 개인기 소지.(보기: 마술, 게임, 댄스...)
- 자신의 체험담을 구성지게 설명해보라.
- 언제라도 찾아갈 수 있는 유머사이트 3군데는 즐겨찾기 해둔다.
- 대상에 맞는 주제를 택하라. (보기: 성, 스포츠, 군대, 드라마...)

사람의 마음을 바꾼다!

_ 유머는 초월적 힘이 있다

피터 버거가 그의 책 「현대사회와 신」에서 언급한 바와 같이 유머와 웃음은 초월효과를 가지고 있다. 초월효과란 우리가 유머를 하고 웃는 순간 우리의 영혼이 지친 현실을 벗어나 용기와 기쁨과 자유와 평화를 맛본다는 것입니다. 피터 버거 교수의 주장에 이해가 안 가는 사람들은 유머와 웃음의 순간에 자신의 마음의 상태의 변화를 잘 살펴보길.

연세대를 설립한 언더우드 목사가 가족 3명만 남은 개척교회 목사를 위로해주고 있습니다.

"목사님은 희망이 있습니다."

"네?"

"지금 세 명 신도니 더 줄 리는 없고, 앞으론 늘어날 일만 있으니 희망적이란 말입니다."

언더우드 목사의 능청스럽지만 따뜻한 유머에 한바탕 웃음과 함께 그 개척교회 목사는 힘을 얻었다. 개척교회가 얼마나 어려운지는 해본 사람만이 안다. 20–30명 정도의 개척교회에서는 우연히 들른 사람만 봐도 그렇게 반가울 수가 없다. 목회도 시행착오를 거듭한다. 선배목회자보다 더 많은 시간과 정력을 보태도 교회가 될까 말까인데 어김없이 돌아오는 건물 세 마련에 신경을 쓰다보면 막상 성경연구와 영적인 성장을 위한 시간을 많이 뺏기게 된다. 이래저래 사기가 떨어지는 경우가 많다. 어려운 시련을 겪고 있는 사람에게 적절한 유머는 어떠한 상황도 헤쳐 나갈 수 있는 힘과 용기를 준다.

사이가 좋지 않던 김 집사 부부. 어느 주일 남편 혼자 저녁 예배를 갔다 오더니 그날 밤늦도록 땀을 뻘뻘 흘리며 아내를 열렬히 사랑해 주었다. 1라운드……, 2라운드……, 오랜만에 기분이 흡족해진 부인은 대견한 눈초리로 남편을 보면서 물었다.

"당신 오늘 웬일이유?"

"예배 시간에 많이 느꼈어."

다음날 아침, 어젯밤 일이 필시 목사의 설교에 영향을 받았으리라 짐작한 아내는 비싼 과일 바구니를 사 들고 목사를 찾아갔다.

"목사님, 고마워요. 그리고 어제 저녁 설교 참 좋았다죠. '아내를 네 몸과 같이 사랑하라' 는 설교였는가요?"

그러자 목사님은 고개를 설레설레 흔들면서 대답했다.

"아닌데요. '원수를 사랑하라' 는 설교였는데요."

사악한 두 명의 형제가 있었다. 그들은 엄청난 부자였지만 가난한 사람들을 착취했고 마약과 여자에 빠져서 살았다. 하지만 그들은 겉으로 독실한 성도로 보이기 위해서 교회에 헌금을 누구보다도 많이 했다. 교회의 목사는 항상 양심에 걸렸지만 교회의 유지를 위해서 두 형제에게 말 한마디 못하고 있었다. 그러던 어느 날 형이 사고로 죽게 되었다. 장례식의 진행을 목사가 맡게 되었고, 동생이 목사에게 다가가 거만하게 말했다.

"우리 형이 성자였다고 말하슈."

목사는 장례식 전까지 계속 고민을 했고, 시간이 되어 장례식은 시작되었다. 마을 사람들이 모두 모인 가운데 목사가 이야기를 시작했다.

"고인은 마약과 여자에 푹 빠져 살았고, 가난한 사람들을 착취했으며 돈을 평생 나쁜 곳에만 사용했습니다."

동생이 깜짝 놀라서 목사를 쳐다보자 목사가 말을 이었다.

"하지만 그 동생에 비하면 그는 성자였습니다."

배우자의 얼굴이 원수의 얼굴로 보인다면 영혼이 감염된 가정이다. 남이 자신을 성자로 평가해주지 않으면 불안한 형제도 딱하긴 마찬가지다. 몸은 교회에 다니며 귀로는 평화의 곡을 듣고 눈으론 성경책을 보았지만 영혼의 눈과 귀로는 자신을 손가락질하는 사람들의 분노에 찬 얼굴과 음성을 느꼈을 것이다.

언제 우리의 영혼이 파괴되는가? 남을 미워하거나 저주할 때, 욕을 하고 경멸할 때 우리의 영혼이 상처받는다. 영혼은 마치 갓난아기의 뽀얀 피부처럼 연약하기 때문에 약간의 자극에도 흠집이 남는다. 엄마가 행여 다칠세라 아기를 조심조심 다루는 것처럼 우리 영혼의 느낌에 눈을 떠야한다. 가락시장 과일상회 주인이 저울로 딸기 무게를 재듯 우리의 영혼이 기쁜지 슬픈지, 평안한 지 초조한 지를 마음의 저울에 달아보는 자세가 필요하다. 세계보건기구(WHO)가 수년 전에 건강에 대한 새로운 정의를 밝혔다. 예전엔 육체가 건강하고 정신이 말짱하면 건강한 사람으로 분류했다. 그러나 얼마 전 한 가지 조건이 더 추가되었는데 육체(body), 두뇌(brain)의 건강 못지않게 영혼의 건강(the health of spirit)이 필요하다는 것이다.

소주 한 박스를 들고 뛸 수 있는 육체의 건강이 있고, 거기 쓰여 있는 글자가 참이슬인지 산인지 분별할 수 있는 두뇌의 건강이 있을지라도, 그 술을 다 마셔서 그 취기가 아니면 견딜 수 없는 허무감으로 가득 찬 사람이라면 결코 온전히 건강한 사람은 아니란 말이다.

유머엔 우리 마음 속 깊은 곳이 변화되는 힘, 즉 초월적 힘이 있다. 유머형 설교자는 인간의 근원적 기쁨을 놓치고 사는 어리석음을 알려주는데 게으르지 않다.

유머형 인간을 위한 액션 플랜(Action Plan)

- 한 번 설교에 한 번은 웃긴다는 목표를 갖자.(에브리 설교 원 유머)
- 성경 안에서도 유머소재를 발굴한다.
- 틀에 박힌 말투가 아닌 자연스런 말투에 눈을 뜨라.
- 강의나 설교 중 노래로 청중을 사로잡는다.
- 웃음이 넘치는 교회로 만든다.

정치판을 바꾼다

_ 유머가 판을 바꾼다

실미도와 함께 공전의 히트를 친 영화 '태극기 휘날리며' 의 압권은 어마어마한 인원동원이다. 언덕 이 쪽에서 우리 군인들이 삼삼오오 모여 압록강까지 진격한 기쁨을 자축하는 순간 바로 언덕 저편 중공군들의 인해전술 장면은 그야말로 블록버스터영화의 진수를 맛보게 했다.

노짱도 과거 언급했지만 '쪽수' 는 무서운 것이다, 한국군 유엔군 다 합쳐도 중공군에겐 쨉도 안되었다. 하지만 현대전은 틀리다. 현대의 국방력은 군인의 머리의 합에 있지 않고 무기수의 합에 있지도 않다. 그 무기의 화력과 성능의 시너지의 차이에 달려있다. 아프간 전쟁과 이라크전쟁은 무기의 성능이 얼마나 진보했는지 보여준다. 사실 지금처럼은 아니지만 과거에도 무기의 차이는 중요한 요소였다.

징기스칸이 금나라 송나라, 고려 등 동북아에 이어 중앙아시아와 러시아 독일 등 전 세계를 석권한 것은 우수한 무기를 가졌기 때문이다. 몽골

군은 말을 잘 탔다. 전문 카레이서와 초보운전자가 달리면 누가 이길까? 그 차이였다. 앞으로도 타고 뒤로도 타고, 탄 채로 말 배 밑으로 한바퀴 돌기도 하고. 걸음마를 하기 전부터 말을 타는 게 몽골인의 습관이다. 그러니 아무도 당할 수 없었다. 관우나 장비의 무기는 일반 칼이나 창의 10여배에 해당하는 무게와 정교함을 갖추고 있다. 그러니 거기에 걸리면 상대는 추풍낙엽이다.

좋은 무기를 가졌다는 것은 승리의 절대 조건이다. 이라크군인들이 소총 쏠 때 미군들은 첨단 레이저 총으로 상대했다. 유효사거리, 최대사거리, 야간 관측, 방탄조끼, 개인 휴대용 인터넷 망 등 상대가 안 되었다. 해보나마나 한 어른과 아이 싸움이었다.

비즈니스 현장에서 가장 중요한 무기는 무엇일까? 외모, 인내심, 경험, 지식 등도 물론 중요하다. 그러나 유머야말로 단 시간에 상대의 마음을 빼앗는 첨단 무기다.

주기철 목사와 한 교회를 섬겼던 장로직분의 고당 조만식의 반일사상은 아주 대단했다. 그는 일찍이 다음과 같은 유언을 하곤 했다.

"내가 죽거든 묘비에다 아무 것도 쓰지 말고 두 눈만을 새겨 두어라. 한 눈으로는 왜놈이 망하는 것을 보아야겠고, 다른 한 눈으로는 우리 조선이 독립하는 것을 보기 위함이다."

조만식 선생은 한마디 유머를 통해 적들에게는 공포감을 주고, 동포들에게는 깨달음을 주고 있다. 만약 고당이 이 나쁜 일본 놈들 저 한심한 조선 놈들 하고 분만 터뜨렸다면 애국심에서야 비슷한 평가를 받을지 몰라

앗! 이것은
무슨 신무기냐?
웃기지? 웃기잖아?
단 시간에 상대의 마음을
빼앗는 첨단무기,
바로 유머야!

도 상대의 마음 깊은 곳을 파고드는 힘은 없었으리라.

총각 "네가 '싫어' 라고 말하면 키스해 주지."

처녀 "어머 싫어."

총각의 유머센스는 처녀가 꼼짝달싹 못하도록 만드는 거미줄 전법 유머의 진수를 보여주고 있다. 총각이 육체의 힘을 동원해 강제로 입맞춤하려했다면 처녀는 본능적으로 방어를 하고 둘 사이는 서먹서먹, 썰렁해졌을 것이다. 촌철살인이란 말이 있다. 펜은 칼보다 강하다는 말도 있다. 한마디 유머는 엄청난 위력을 발휘한다. 사실 오랜 기간 인류의 깨달음을 준 위대한 교훈들은 대개 어려운 논리로 내려온 게 아니고 유머적 우화의 형태로 전해졌다. 성경 불경 등의 우화, 이솝 우화 등이 그 예다.

소총수는 어디를 가든 24시간 소총을 지니고 다닌다. 자신의 목숨을 지켜주기 때문이다. 마찬가지로 유탄발사기 사수는 유탄발사기를, 화염방사기 사수는 화염방사기를 신주단지 모시듯 가지고 다닌다. 무거워도 힘들어도 닦고 손질한다. 유머형 정치인은 유머를 무기로 지니고 다닌다. 무겁지도 않고 걸리적거리지도 않는다. 그러면서도 효과는 만점이다.

70년대 한일의원연맹 회의 차 우리 국회의원들이 일본에 방문했다. 호텔에서 소변을 본 후 일본의원들은 손을 닦는데 우리 의원들은 그냥 나가는 게 아닌가. 일본 의원 한 사람이 비아냥 거리는 말투로 한 마디 한다.

"아니, 한국 사람들은 소변 보고 손이노 안닦으시므니까?"

그러자 우리 의원들은 순간 당황했다. 이내 정신을 차리고 한의원이 한마디.

"아, 일본 사람들은 이상하네. 우린 항상 그 부분을 깨끗이 닦기 때문에 걱정없어요. 일본 사람들은 닦지 않나 보지요?"

되로 주고 말로 받는다는 말이 있다. 일본 정치인들이 그런 경우를 당했다. 당시 나라가 너무 가난하고 물이 부족한 처지였지만, 기개와 유머만은 부족하지 않았다. 이런 유머적 여유가 그 후의 경제발전을 이루는 초석이 된 것은 두말할 필요도 없다. 우리 정치 그동안 너무 살벌했다. 유능하고 세련된 유머형정치인들의 활약을 기대한다.

유머형 인간을 위한 액션 플랜(Action Plan)

- 성공하려면 마이크언어를 절제하라. (말 한마디로 10년 공든 탑 허물어진다.)
- 직설적 비난대신 유머로 화답하라.
- 자신을 부각시킬 수 있는 확실한 자기소개법 익히라.
- 상대의 논리로 상대를 굴복시켜라.
- 위기에서도 미소를 잊지 마라.

경영을 바꾼다

_ 정말 일하고 싶은 회사를 만든다

유머경영이란 말이 이제 그리 낯설지만은 않다. 필자도 수년 전 '웃기는 리더가 성공한다.' 는 책을 통해 외국 기업의 유머경영을 소개한 게 엊그제 같은데 이제 우리 기업도 나름대로 토착화된 유머경영이 활발히 이루어지고 있다. 유머경영이란 무엇인가? 유머경영도 경영이기에 당연히 기업의 생산성 향상에 공헌할 수 있어야 한다. 그저 웃으며 시간 보내는 아이디어 차원의 이벤트 정도로는 곤란하다. 재미있고 신나고 보람찬 직장 생활! 세계의 기업인들이 다 꿈꾸는 것이다. 그러나 현실은 어떤가?

'복지부동!'

의욕은 없어지고 눈치만 남은 직원. '내 것도 내 것이요, 회사 것도 내 것!' 공익보다 사익을 더 챙기는 직원.

'주객전도!'

점심시간과 퇴근시간을 기다리며 시간 보내는 직원.

이러한 현상이 모두 직원들만의 탓일까? 관리자들의 책임은 없을까? 현대 직장인들이 회사를 어떻게 보고 있는지 살펴보자.

감옥에서는 하루의 대부분의 시간을 4평짜리 방에서 보내고,

회사에서는 하루의 대부분의 시간을 1평도 되지 않는 책상에서 보낸다.

감옥은 하루 세 번 무료로 식사를 제공한다.

회사는 하루 한 번 식사시간을 주지만 식사비는 개인부담이다.

감옥에서 착실하게 고분고분 생활하면 예정보다 일찍 보내준다.

회사에서 착실하게 고분고분 생활하면 더 많은 일을 시킨다.

감옥에서는 예전과 달리 TV도 볼 수 있다.

회사에서는 근무시간에 TV를 보면 어떻게 되는지 한 번 해보시라.

감옥에서는 가족과 친구들이 자주 면회를 가도 뭐라고 하지 않는다.

회사에서는 가족 또는 친구와 전화하는 것도 눈치를 봐야 한다.

감옥에서는 모든 사람이 항상 편안한 옷차림으로 생활한다.

회사에서는 빳빳한 와이셔츠에 넥타이를 졸라 매야 하고 그것도 모자라 거의 매일 갈아입어야 한다.

감옥에서는 옆 감방에 있는 친구를 식사시간 또는 운동시간에 만날 수 있다.

회사에서는 다른 부서에서 일하는 친구를 만나는 것은 좀처럼 쉬운 일이 아니다.

감옥에서 소요되는 모든 비용은 전액 국가가 부담한다.

회사에서 주는 쥐꼬리만한 월급도 세금 명목으로 원천징수한다.

감옥에 있는 사람들은 인생 대부분의 시간을 바깥 세상을 그리워 하며 철창 안에서 보내고,

회사에 있는 사람들은 인생 대부분의 시간을 바깥 세상을 그리워 하며 술집에서 보낸다.

영화에서 보면 감옥에는 가끔 가학적이고 변태적인 교도관이 있다

회사에서는 그런 부류의 사람을 우리는 '상사'라고 부른다.

권위적인 상사와 눈치 보는 부하 구도로는 이제 곤란하다. 해답은 유머경영이다. 신나고 재미있는, 유머와 웃음이 넘치는 조직을 만들자. 관료적, 수직적 조직을 수평적, 참여적, 가치 공유적 조직으로 바꾸자! 부하 같은 상사로 변신, 또 상사 같은 부하로 변신하라. 서로 어울려 웃고 고민하고 대답하는 가운데 직원에겐 주인의식이 생기고 CEO에겐 리더십이 생긴다. 부드럽게 리드해도 자발적으로 따르는 조직을, 거칠게 리드하고 마

지못해 따르는 조직이 따라잡지 못한다. 다음은 그 동안 매스컴에 소개된 구체적 유머경영의 실례다.

기업의 유머경영

- '미션 임파서블' (LG전자 구미사업장)

  주관부서에서 무작위로 직원을 설정, 이메일을 통해 미션을 부여한다. 지령을 받은 직원은 부여받은 임무를 완수해야 한다. 팀장과 파트리더에게 편지쓰기, 팀 전원이 영화보기, 직원 세 번 웃기기 등.

- '맵시데이' (동양제과 담철곤 대표이사)

  1주일 중 가장 일하기 싫은 수요일을 '맵시데이'로 지정해 직원들이 요란한 복장으로 한껏 멋을 내고 출근하도록 유도.

- '쌈지스페이스' ((주) 쌈지)

  회사가 지어놓은 7층짜리 공연/전시장인 '쌈지스페이스'에서 직원들이 공연도 보고, 그림도 관람하며 사업아이디어를 정리하도록 함.

- '펀경영 주창' (박정인 현대모비스 회장)

  조직문화활성화 차원에서 '펌프 경연대회' 등 오락성 프로그램이 깃든 조직 활성화책과 사원 해외 배낭여행 실시.

- '해피아워(Happy Hour)' (오리콤)

  전사원이 한자리에 모여 가볍게 맥주를 마시며 대화를 나누는 '해피아워(Happy Hour)', 최고경영자와 직원들의 릴레이 미팅인 '타운미팅(Town Meeting)' 등을 신설.

- '가족같은 회사' (유한킴벌리 문국현 CEO)
  직원가족 수시로 초청 신나는 시간, 나무심기 등 사회봉사, 회사는 직원입장에서 직원은 회사입장에서 사고하는 문화정착.
- '재미있는 비행' (펀경영의 원조격인 미국의 아메리칸 항공)
  심야 승객들의 음악신청을 담당할 승무원을 추가로 배치, 승객들에게 뮤직비디오와 샴페인을 무료로 제공하고 심야 특별기편을 파티장으로 만듬, 심야 특별기편을 '재미있는 비행'이라고 광고하여 사업은 70%나 성장.
- '배꼽 잡는 기내 방송' (사우스웨스트 항공사 켈러허 회장)
  회장이 출근하면서 오전 9시경에 회사정문에 도착했는데 수위부터 시작해서 만나는 사람마다 농담을 주고받으니 3층에 있는 자기 사무실까지 올라가는데 무려 2시간이 걸렸다고 한다. 토끼 복장으로 비행기 복도를 걸어다님으로써 몸소 유머를 실천. 채용기준도 유머, 최종면접시험에서 모든 응시자에게 지난 3개월 동안 했던 농담 중에서 제일 재미있는 것을 해보라고 요구한 뒤, 자신을 웃기면 합격이고 썰렁하면 불합격. 한국 실정에선 글쎄(?!)

공조직 유머경영

- '서바이벌 게임' (국방부)
  예비군 훈련을 서바이벌 게임으로 대체함. 이제 시간 때우거나 조는 예비군 사라질 듯.

- '드라마 틀어주기' (모 고등학교)

  역사공부 실감나게 역사드라마 틀어준다.

역사적 편 경영

- 중세유럽 '바보제' 가 열리면 귀족과 평민간 신분이 바뀜.
- 삼국시대, 고려, 조선시대 한국 농부들은 유머러스한 장승, 성기 모양의 조각품을 농토근처에 만들어 놓고 웃으며 에너지 얻음.

유머형 인간을 위한 액션 플랜(Action Plan)

- 직장을 재미있게 꾸민다.
- 직원이 곧 머슴이라는 편견을 버려라.
- 요즘 고객은 편리한 쇼핑과 더불어 재미있는 쇼핑을 원한다.
- 활기찬 직원이 고객을 부른다.
- 1년에 한 번은 직위를 바꾸는 퍼포먼스를 갖자. (보기: 사장과 신입사원 임무 교대)

5_ '유머형 인간'을 만드는 13가지 유쾌한 습관

- 따뜻한 마음이 첫번째 기술이다
- 자연스럽게 유머를 던져라
- 여유 없이 유머 없다
- 넉넉한 마음에 넉넉한 유머가 깃든다
- 다른 사람의 유머를 즐겨라
- 무고한 사람을 풍자하지 마라
- 유머의 유통기한을 지켜라
- 대상에 맞는 유머를 구사하라
- 위기를 즐겨라
- 왕따 되는 것을 두려워마라
- 건강엔 돈을 아끼지 말라
- 스스로 흥분하라
- 매끄러운 유머로 상황을 연결하라

따뜻한 마음이 첫 번째 기술이다

TV드라마 '코스비 가족'을 볼 때마다 마음이 훈훈해지는 것을 느낄 수 있다. 중심인물인 코스비는 개인적으로 청소년들의 교육을 위해 많은 노력과 연구를 한다. (참고; 빌 아들러, 「코스비의 유머」, 정음문화사) 우리 코미디도 훈훈한 분위기를 느끼게 하는 작품이 많아지고 있어서 참 반가운 일이다. 일부 코미디가 저질이란 평가를 받기도 하는데, 그 이유는 넘어지고 자빠진다든지 (기계성) 해서가 아니고 소재가 제한되기 때문만도 아니다. 바로 청중에게 차가운 (cool) 분위기를 느끼게 하기 때문이다. 자기를 높이고 상대를 무고하게 풍자한다든지 혹은 코미디작가나 연출자 혹은 코미디언 자신이 따뜻한 마음이 없을 때는 그대로 청중의 마음에까지 그 차가움이 전달되기 때문이다.

스님이 목욕탕에서 머릴 민 학생에게 말을 건다.

"학생 등 좀 밀어 줘."

"누구신데 등을 밀어 달라고 하는 거예요?"

"나 중이란다."

그러자 그 학생이 화를 내면 하는 말, "뭐 중 2? 야 임마! 난 중3이야."

전기의자에 앉게 된 사형수한테 목사가 마지막 소원을 물었다.

"최후의 소원이 무엇입니까? 제가 할 수 있는 것이라면 꼭 들어주었으면 합니다."

"그러면 목사님의 그 따뜻한 손으로 저를 꼭 잡아주세요. 그렇게 하면 편안한 마음으로 죽을 수 있을 것 같군요."

버르장머리 없는 중3학생이야 그러려니 할 수 있지만 교활한 사형수의 고약한 마음엔 냉기가 돈다. 제 버릇 개 못준다고 죽는 순간까지 고통을 주는 인간형이다. 유머리스트(humorist)와 휴머니스트(humanist)는 스펠링이 비슷한데 어원이 같기 때문이다. 가장 인간다운 인간, 인간의 냄새가 인간이 바로 유머형 인간이다. 유머란 원래 사람들이 힘과 에너지를 주고받기 위해 탄생된 것이다. 인간에 대한 관심과 사랑에서 유머가 나온다.

개인적 체험을 적는다. 필자와 개인적 교분도 있는 연대 부총장과 상지대 총장을 지낸 김찬국교수, 그리고 상담학의 거두 한신대 정태기교수는 학계 지성인 중에서도 인간적인 분들로 정평이 나 있다. 가족과 제자들을 사랑하는 마음에 눈물도 많고 정도 많은 분들이다. 인간적인 사랑에서 우러나오는 유머 한마디는 향기가 있다. 마치 겨울 내내 추위와 북풍한설을 이겨낸 목련 꽃의 깊은 향처럼.

유머 마인드는 세상이 근본적으로 지겨운 곳이 아니고 재미있고 신나는 곳이라는 생각에서 출발한다. 유머형 인간은 그러므로 세상을 긍정적으로 해석한다. 남이 조금만 잘해주면 좋을텐데 하며 환경을 원망하지 않고 내가 조금 다른 시각으로 생각하면 되지 하고 생각하는 넉넉한 사고의 소유자다. 주위 사람의 나쁜 점보다는 좋은 점을 보는 눈이 발달한 독특한 인종이 바로 유머형 인간이다. 일반사람들은 고통을 받을 때 상대의 나쁜 점이 보이지만 이들에겐 좋은 점이 더 잘, 자주, 확실하게 보인다. 이들의 특징 중 또 하나는 형식이나 격식에 구애받지 않는다는 점이다. 관례나 전통이 인간과 상충하는 경우 이들은 주저하지 않고 인간을 택한다. 그 부분이 우리 주위의 수많은 위선적 리더들과 구분되는 점이다.

슈바이처 박사는 아프리카 람바데네 병원에서 죽어 가는 생명들을 위하여 자신의 모든 것을 바치고도 부족하여 모금운동에 나서기로 했다. 한번은 모금 차 그의 고향에 돌아 왔는데 역에는 그를 영접하려는 많은 사람들이 모여서 그가 나오기를 기다리고 있었다. 사람들은 으레 그가 1등 칸에서 나올 줄 알고 그 앞에 모여 있었는데 박사는 3등 칸에서 나오는 것이었다. 영접객들이 달려가서는 어째서 3등 칸에 탔냐고 물었다. 그러자 박사는 온화한 미소를 지으며 다음과 같이 말했다.

"이 열차는 4등 칸이 없더군요."

존경받고 돈 많고 박식하고 고귀한 분이라면 당연히 1등칸을 타야한다는 고정관념을 여지없이 부수고 있다. 하긴 당연하다. 1등칸에 연연하는 슈바이처라면 뭐하러 아프리카 오지에 갔으랴? 1등칸에 연연하면서도 오지에 가는 사람들이 전혀 없는 것은 아니다.

자연스럽게 유머를 던져라

신기한 책략은 천문을 꿰뚫었고

기묘한 계책은 지리에 통달했네.

싸움에 이겨 공이 이미 높으니

족함을 알아서 중지하기 바라오.

神策究天文 妙算窮地理

勝戰功旣高 知足願云止

– 을지문덕

이 시에는 을지문덕의 은근과 여유가 넘친다. 당나라 장수의 공을 하늘 높듯이 치켜세우다가 이제 그걸로 족함을 알고 돌아가라고 조용히 타이르고 있다. 을지문덕의 기백이 넘치는 시다. 우리 조상들의 해학에는 이렇게 은근함과 여유가 넘친다. 모자라거나 넘치는 게 없다.

세련된 유머와 그렇지 못한 유머의 차이는 바로 이 자연스러움의 여부에 달려 있다. 프로들은 당시의 시간, 장소, 상황, 청중 등과 잘 어우러진 유머를 한다. 뭐하나 막히는 것 없이 마치 계곡을 흐르는 물과 같다. 경사를 만나면 급속히 흐르고 바위를 만나면 잠시 주춤거리면서 주위의 모든 조건에 자연스럽게 자신을 맞춘다. 빨랐다 늦었다, 강하다가 약하다가 그때 그때 상황변화에 자연스럽게 맞추는 유머를 최고의 유머 화술(話術)로 친다.

반면에 우리는 자주 아직 영글지 않은 유머를 본다. 마치 부화가 덜 된 독수리가 턱도 없이 일찍 알을 깨고 나온 것처럼 영 불안하다. 의도적인 유머, 무리한 유머, 상황에 전혀 안 맞는 유머. 남을 웃기려는 의도로 자기가 먼저 웃는다든지 하면 분위기가 머쓱해지는 경우가 있다. 마이크를 잡고 말을 더욱 멋지게 하려는 욕심에 되지도 않게 오버해서 색다른 목소리를 내는 경우도 있는데 역시 목불인견이다.

자연스런 것은 아름답다. 노래도 자연스럽게 하는 것이 듣기에 좋다. 고음에 도달하면 가성으로 자연스럽게 바꾸어주면 된다. 그런데 무리하게 고음을 내다보면 남 듣기에도 불편하고 목도 상하게 된다.

프로 연기자들의 연기를 보다보면 픽션인지 실제인지 구분이 잘 안 간다. 그래서 보다보면 울음도 나오고 폭소도 나온다. 유머도 마찬가지다. 언제 웃겼는지 모르게 하는 게 프로다. 웃기고 나서 2, 3초는 지나서야 '아 저 사람이 지금 우릴 웃겼구나' 느끼게 만든다. 상대가 눈치를 채는 순간 다른 이야기로 넘어간다. 반면에 아마추어는 웃기려고 애를 쓰는 게 사람들 눈에 보인다. 참으로 안타깝다 못해 처량하게 보이기도 한다.

자연스러운 유머리스트가 되기 위해선 웃음의 이론과 원리에 대해 많이 알아야 한다. 또 인간의 심리, 현대 사회, 기타 수많은 문화, 문학, 예술, 시사, 정치, 경제에 대한 해박한 지식이 필요하다. 농구의 고수 마이클 조던은 농구에만 해박한 게 아니라 골프, 복싱, 그리고 흑인 인권 등 여러 분야에 해박하다. 그게 그를 진정한 영웅으로 대접받는 이유다. 유머형 인간은 인간에 대해 관심이 많은 사람이다. 그리고 인간이 만든 사회에 대해, 인간이 사는 환경에 대해 동일한 관심이 있다. 그 모든 것이 바람처럼, 물결처럼 자연스런 유머를 구사하게 되는 조건인 것이다.

팅.....
What ?
억지로 성공시키려 하지마!
자연스럽게 던져.
유머도 마찬가지야!
18

여유 없이 유머 없다

우리 신체는 유머와 관련되어 있는데 특히 단전이 중요하다. 유머는 두뇌(총명, 창의력, 아이디어), 심장(인간성)과도 관련이 있지만 특히 단전(아랫배 배꼽 밑 3cm)과 관련이 있다. 이 곳은 우리 조상들이 발견한 곳으로 여유와 담대함이 발생하는 곳이다. 여유만만, 호연지기가 탄생하는 곳이다. 똑똑한 머리도 유머의 중요 조건이지만 여유야말로 유머의 필요충분조건이다.

현대인들은 뭘 몰라서 힘든 게 아니고, 뭘 많이 알아서 문제인 경우가 더 많다.

'사교육비가 오르면 어쩌지?'

'어이구 배 아파! 혹시 위암 아닌가?'

기우(杞憂)란 말이 있다. 하늘이 무너질까 항상 고민하고 다녔던 한참 덜 떨어진 사람에서 유래한 고사다. 우리 주위에도 이런 사람들을 심심찮

게 본다. 모두 마음의 여유가 없어져 온 병이다.

'우리 애 안 먹어서 안 크면 어쩌지.'

하루 종일 애와 밥 먹는 문제로 씨름을 한다.

"밥 먹으면 돈 줄게, 아이스크림 줄게. 입 벌려 봐."

웃음도 안 나온다. 사람도 동물인데 동물 역사상 안 먹겠다는 종(種)은 아직 발견된 적도 학계에 보고 된 적도 없다. 5살짜리 아들이 밥을 안 먹는다. 망설이지 말고 혁명군 계엄 선포하듯 과감하게 선포하라.

"안 먹는다고? 알았다. 우리 식구 밥 먹을 동안 나가 있어. 얼어 죽을지 모르니까 계속 뛰어, 실시."

한 번 이래 놓으면 애가 변한다. 물론 처음엔 정신적 충격으로 놀랠 것이다. 그러나 이내 상황을 파악하고 나름대로 대비할 것이다.

'허걱! 이런이런 부모도 아주 독종으로 만났구나.'

다음부터 애 버르장머리가 확연히 달라짐은 물론 군기가 바짝 들어 전혀 다른 어린이로 변한다. 성숙해진다고나 할까.

"여어, 아들 엄마아빠 일 때문에 늦게 들어가는데 짬뽕이라도 시켜먹으렴."

그럼 애가 홀연 놀라며 다른 의견을 개진한다.

"참 부모님도, 소자 다섯 살이면 무쇠도 소화시킨 나이인데 아침에 남은 누룽지라도 먹으면 되지요, 돈 낭비할 것 없사옵니다."

이렇게 키워야 돈 무서운 줄 알고 부모에게 효도할 확률도 크다.

여유가 있으면 위기가 기회가 되는 법, 유머형 인간들은 위기를 즐긴다.

미국인, 일본인 그리고 한국인 세 명이 아프리카를 여행하다 주거지 무단침입으로 야만인들에게 붙잡혀 곤장 100대씩을 맞게 되었다. 다행이 야만인 추장은 이들에게 단 한 가지씩 소원을 들어 주기로 했다.

"제 등 뒤에 방석 6장을 올려 주십시오."

미국인이 먼저 말했다고 추장은 소원을 들어 주었다. 그리고 곤장 100대를 맞았다. 하지만 방석이 너무 얇아 70대째에 방석이 다 찢어져 나머지 30대를 맞고 가물가물한 정신으로 "그래도 나는 창조성이 뛰어난 민족이야." 하고 중얼거리곤 정신을 잃고 말았다.

이 과정을 지켜본 일본인이 말했다.

"제 등 위에 침대 매트리스 6개를 올려 주십시오."

일본인의 소원을 들어 주고 곤장이 시작 됐다. 일본인은 100대를 맞는 동안 줄곧 웃기만 하다 일어났다.

"역시 나는 모방의 기술이 뛰어난 민족이야." 하며 좋아 했다.

추장은 한국인을 향해 말했다.

"자, 네 소원은 무엇이냐?"

한국인은 씩 웃으며 말했다.

"저 일본사람을 제 등 뒤에 올려 주십시오."

유머형인간은 여유롭다. 초조와 불안, 걱정과 스트레스는 현대인을 괴롭히는 가장 대표적인 요소다. 월요병이란 게 있다. 출근해서 상사의 얼굴 볼 생각만 해도 소화가 안 되고 심장이 벌렁벌렁한다는 사람들이 있다. 남이 자신을 미워할까봐 지레 걱정하는 피해의식 증세를 가진 사람도 부지기수다. 심지어는 어린애들도 불안해하긴 마찬가지다. 학교마다 왕따로 찍힌 학생부터, 왕따 후보에 올라 있는 학생, 왕따 안 되려 노력하는 학생, 왕따 학생을 괴롭힘으로써 막 왕따에서 벗어난 학생까지 정서불안증 인간이 도처에 넘쳐난다. 수호지에 주인공 장수들을 괴롭히는 맹수들이 등장하는데, 사실은 도술가가 종이로 만든 가짜 병기였던 것이다. 마음이 강한 사람에게야 통하지 않지만 겁쟁이들에게는 큰 효과를 가져 온 것이다.

유머형 인간은 대중들이 흔히 전염되는 군중심리, 정서불안으로부터 자유롭다. 스스로 여유를 만들 줄 알기 때문이고 그 여유는 자신을 위협하는 실체가 별 것 아니라는 것을 보여준다. 유머형 인간은 세상을 두 배 가치 있게 산다.

넉넉한 마음에 넉넉한 웃음이 깃든다

유머는 동서양을 막론하고 우리에게 통쾌함과 감동을 준다. 이번에는 일본의 이누가이 외상의 일화다. 한쪽 눈이 없는 이누가이 외상에게 한 의원이 시비를 건다.

의원 "여보시오, 당신은 한 쪽 눈밖에 없지 않소?"

외상 "그렇습니다. 한쪽 눈(一目)이지요."

의원 "아니, 한쪽 눈으로 무슨 국제정세를 논한단 말이요?"

외상 "의원께선 일목(一目)이 요연하다는 말도 못 들어 보셨습니까?"

상대가 나를 공격해 올 때 나의 감정을 가지고서 대응하는 경우가 대부분인데 그것은 상대의 술수에 말려들어가는 것이다. 이누가이 외상은 상대의 말을 수용하면서도 상대를 이기는 멋진 방법을 보여준다.

우리 민족의 여유만만함을 잘 보여주는 내용을 하나 소개한다. 흥부전에서 흥부가 놀부 처에게 밥을 얻으려하는 장면이다.

"형수님 밥 좀 주세요."

"예끼 이거나 받아라. (밥주걱으로 빰을 갈긴다.) 어때 한대 맞으니 밥 얻으러 온 것 후회되지?"

"예 후회되는구만요. 밥알이 생길 줄 알았으면 애들도 데려올 걸."

비록 가난하지만 공격을 받아들이는 수용적인 태도가 엿보인다.

유머는 말하는 사람과 듣는 사람 모두를 편하게 해주는 것이다. 유머가 있는 사람이라면 마이크 잡는 것을 두려워 할 필요가 없다. 부부세미나 강의를 다니다 느끼는 일이다. 어떤 집회의 분위기는 아주 좋다. 처음 강의 시작 전에 강사대접도 잘해주고 인사도 잘 한다. 강사의 등장에 밝은 얼굴로 맞아준다. 그런 청중에게 한번 유머를 던지면 영락없이 웃어준다. 그러나 어떤 모임에 가면 정반대. 대접도 소홀하고 유머에 웃지도 않는다. 아마 부부가 집단으로 싸우고 나서 모인 듯 하다. 웃기는 것도 중요하지만 우선 스스로 웃는 훈련이 필요하다. 웃는다는 건 상대방을 향해 이렇게 무언의 메시지를 전하는 것이 된다.

'당신의 말을 들을 준비가 되어 있어요.'

'당신과 만나 기뻐요.'

'강사로 와 주신 당신에게 감사합니다.'

웃음이란 넉넉한 사람에 마음에 깃드는 행복의 소리이다. 웃음은 빙산도 녹인다는 말이 있다. 즉 썰렁하고 어색한 분위기를 한바탕 웃음으로 반전시킬 수 있다는 말이다. 이렇게 되려면 유머를 던지는 사람이나 유머를 듣는 사람이나 모두 넉넉한 마음이 있어야 한다. 그래서 웃음이라는 것도 먹고 살기 힘들면 나오지 않는다. 옛부터 아무리 먹고 살기 힘들지라도 넉넉한 마음을 잃지 않는 집에서만 웃음소리가 새어나오는 것이다.

다른 사람의 유머를 즐겨라

"남이 유머 할 때 웃어주자."

강의 중 청중들에게 가장 강조하는 부분이다. 우리나라 사람들의 유머 실력은 아직 세계 수준에 비해 많이 뒤처진다고 자인하지 않을 수 없다. 이항복, 김삿갓의 후손으로서 조상님들에게 부끄럽지만 아직 더 많은 유머 센스를 높이는 국민적, 회사적, 가정적, 개인적 노력이 필요하다는 것은 틀림없다. 그런데 그 보다 더 시급하고, 절박한 문제가 있으니 남이 한 유머에 안 웃어준다는 것이다. 우스개 소릴 들었을 때 반응 좀 보이자. 껄껄 호방하게 웃어도 좋고 깔깔 명랑하게 웃어도 좋고, 하하 입 벌리고 웃어도 좋고 호호 입 가리고 웃어도 좋다. 무반응 보다는 차라리 조소라도 좋으니 반응을 보이자고 말하고 싶다.

도무지 우린 반응이 없다. 강의 나가 관찰하니 어떤 집단은 바로 웃지만 어떤 부류는 웃질 않는다. 3년 동안 연구한 결과 그 이유를 알았다. 아이큐 차이다. 머리가 나쁘면 안 웃는다. 또 마음이 차가운 사람은 안 웃는다. 자기가 웃음으로 해서 상대가 득의양양 하는 꼴을 못 본다. 참 특이한 성질이다. 또 하나, 머리도 좋고 성품도 원만하지만 안 웃는 사람들이 있다. '참아야하느니라' 무슨 도를 닦는 사람들도 아니고, 그렇다고 도박장의 포커페이스도 아닌데 안 웃는 사람들이 있다. 이건 순전히 습관이다. '유머청취시 웃음근육 작동거부증'

한국 중년 남자들이 이 증세가 심하다. 즐거운 유머를 들을 때 얼굴 근육의 형태와 비난을 들을 때 안면근육의 형태가 놀랍도록 동일한 유일한 민족. 속으론 웃을망정 겉으론 표시를 안 낸다. 별 일이다. 건강에도 손해고 유머 한 사람도 기분 잡치게 만드는 이상한 습관을 신주 단지 모시듯 초지일관 고수하는 걸 보면. 먹고 싶을 땐 먹어야 하고, 자고 싶을 때 자야 하듯 웃고 싶을 땐 웃자. 배설도 참으면 병나듯 웃음도 억지로 참으면 몸에 안 좋다.

응급실에 두 사람이 급히 뛰어 들어 왔습니다. 그 중 한 사람이
"선생님 내 목에… 골프공이… 걸렸어요."
"염려 마세요. 금방 꺼내 드리죠. 그런데 같이 오신 분은 보호자인 모양이죠?"
"아니요, 난 내 공 찾으러 왔어요."

골프에 빠진 목사가 있었다.

어느 구름 한 점 없이 화창하고 맑은 날, 갈등을 하다 결국 몸이 아파 못 간다는 전화를 교회에 하고 골프장으로 향했다.

이를 본 천사가 하나님에게 보고했다.

"저 목사를 혼 좀 내줘야하지 않을까요!"

하나님은 고개를 끄덕였다.

목사가 1번 홀에서 힘찬 스윙을 하자 볼은 뒤에서 부는 바람을 타더니 무려 350야드나 날아가 그린 위에 떨어졌다. 이어 볼은 데굴데굴 굴러 홀컵으로 들어갔다. 홀인원이었던 것이다.

목사는 자신이 한 일에 대해 놀라고 흥분했다. 천사도 충격을 받았다.

"하나님 뭔가 잘 못 된 것 같네요. 벌을 주셔야 되는데요?"

하나님은 미소를 지으며 천사에게 말하길,

"한 번 생각해 보아라! 저걸 누구에게 자랑하겠니?"

저녁 퇴근길 비좁은 지하철에서 자신의 그것으로 앞에 서있는 아가씨의 엉덩이를 쿡쿡 찌르는 치한이 있었다. 아가씨는 뒤쪽의 치한을 돌아보며 경고했다.

"야! 어디다 뭘 갖다대는 거야!"

남자가 오히려 큰소리로 대꾸했다.

"무슨 소릴 하는 거야. 내 주머니 속 월급봉투가 좀 닿았을 뿐인데."

아가씨 왈

"야 임마! 넌 잠깐 사이에 월급이 세배나 커지니?"

안 웃는 사람들은 이유가 있다. 우선, 골프 공 임자는 너무 비인간적이다. 사람 목숨이 중요하지 공이 중요하냐 비열한 인간 같으니……. 다음, 목사도 무책임하다. 자신도 쾌락에 탐닉하면서 어찌 성도들에게 설교를 제대로 하겠는가? 게다가 성직자를 이리 희화화하다니 참을 수 없다. 마지막, 세 배 커진다는 말은 너무 노골적이고 원색적인 저질 표현이다. 두 배도 아니고…….

사실 이렇게 따지면 하나도 웃을 게 없다. 유머는 유머로 봐줘야 하는데 유머를 일반 표현으로 보니 문제다. 마치 피카소의 추상화 그림을 보고 실제와 틀리다고 지적하는 것은 넌센스다. 유머는 웃자는 것이다. 웃으면 된다. 물론 시도 때도 없이 매출이 떨어져 열 받아 있는 사장 앞에서 웃는다던가, 초상집에서 웃는 얼빠진 사람은 곤란하다. 하지만 웃을 때는 웃는 게 좋다. 안 웃으면 자기만 손해다. 유머형 인간은 진지할 때 진지하고 웃을 때 웃는 사람이다.

무고한 사람을 풍자하지 마라

어느 휴일 날에 가는귀가 조금 먹은 할머니와 손자가 TV외화 '삼손과 데릴라'를 보고 있다. 데릴라가 삼손에게 열렬히 키스를 하자 할머니가 혀를 쯧쯧 찬다. 무안해진 손자가

"에이, 할머니 서로 사랑하면 그럴 수도 있는 거잖아요."

"그래도 그렇지. 조금 전까지 '삼촌 삼촌' 하던 사람과 어떻게…… 원."

전두환 "내 아들놈이 폭주족에, 미팅에, 술에 빠졌으니 큰일이야."

친구 "아니 그걸 그냥 놔 두냐?"

전두환 "가끔 날 끼워 주걸랑."

할머니를 가볍게 풍자했다. 가는귀를 먹은 할머니가 삼손이라고 말하는 것을 삼촌이라고 들은 모양이다. 무고한 사람을 풍자한 저질 내용이라고 폄하할 수는 없지만 그래도 심신이 약한 할머니가 풍자의 대상이 되었

단 점에서 예민한 사람들은 미간을 찌푸릴지도 모르겠다. 그러나 전반적으로 무고한 사람을 풍자한 유머의 범주는 아니다. 특정인을 가리킨 게 아니기 때문이다. 상황에 따라 풍자는 적절히 사용할 일이다. 만약에 듣는 사람이 "이건 저질 유머야." "천박한 농담을 하는군."등으로 생각한다면 그 순간 유머로서의 역할은 끝이다. 나쁜 감정은 웃음을 소멸시키기 때문이다.

반면에 다음 유머는 특정인, 그것도 누구나 다 아는 사람을 풍자했다. 당연히 문제가 생길 수 있는 경우다. 그러나 이 것도 무고한 사람을 풍자한 조크의 범주엔 들어가지 않는다. 유관순 누나나 이순신 장군을 풍자했다면 국민의 일반적 정서상 문제가 있으나 현역 정치인은 예외다. 풍자의 대상으로 삼아도 무방하다는 말이다. 혹자는 그 분 전 재산이 29만원 밖에 안 되는 극빈층인데 불쌍하다는 여론도 있는 것을 안다. 하지만 아버지는 극빈층인데 아들이 수백억씩 여배우에게 주고 다니는 모습을 보면서 더욱 안타까운 것이다. 아니 자식교육을 어떻게 했길래 늙은 아버지는 29만원으로 겨울을 나는데 젊은 아들이 그 많은 돈을 혼자 다 쓰나. 참으로 불효자식의 전형을 보는 것 같아 안타깝다.

어느 교회의 담임목사가 병이 나서 급히 외부 젊은 목사에게 대신 설교를 맡겼다. 젊은 목사는 요새 사람답지 않게 시간이 넘어도 설교를 그칠 줄 모르는 스타일이었다. 젊은 목사가 설교단에 오르니 청중이 평상시의 반도 안 되었다. 기분이 상한 그 목사가 담임목사에게 전화했다.

"아니 오늘 성도수가 의외로 적었어요. 오늘 내가 설교한다는 말을 안 했던 모양이군요."

"예에? 목사님이 설교한다는 사실을 철저히 보안유지 했는데……아마 새 나간 모양입니다."

위의 유머를 목회자가 사용한 경우와 평신도가 사용한 경우 어느 쪽이 더 무난할까? 답은 목회자가 사용한 경우다. 목회자가 망신당하는 이야기를 평신도가 하는 경우는 바람직하지 않다. 또 이 유머를 목회자들에게 한 경우와 평신도들에게 한 경우 어느 쪽이 더 무난할까? 답은 역시 목회자들에게 한 경우다. 유머는 상황과 아주 밀접하다. 위의 유머를 해당목회자의 구체적인 이름을 사용한 경우와 위와 같이 일반적인 경우로 한 경우는 어느 쪽이 무난할까? 답은 당연히 후자다. 자기 자신을 풍자하는 것이야 좋지만 남을 풍자하려면 신중할 일이다.

유머의 유통기한을 지켜라

이병헌은 지적이며 귀공자적인 이미지 때문에 멜로드라마의 주인공을 많이 했다. 그러나 자신의 이미지가 굳어지는 것을 막기 위해 건달역이나 순둥이역(공동경비구역JSA)을 찾아서 출연한다. 조용필은 인기 정상에서 가창력을 높이기 위해 일부러 판소리에 도전했다. 도올 김용옥은 교수에서 한의대 학부생으로 다시 기자로 변신하고 있다.

계속 똑같은 모습 보면 지겨운 것이 사람 생리다. 유머도 마찬가지다. 교사가 자기 반 학생에게, 사장님이 목사가 자기 회사직원에게 매일 또 똑같은 유머만 하면 재미대신 짜증나고 웃음대신 하품이 나온다. 반복 사용하지 말란 것은 새롭게 창조하란 말인데 이에는 몇 가지 요령이 있다. 기존 유머카드 혹은 자주 보는 유머집에 나온 유머를 약간 변형시키는 방법이다.

하늘나라에 올라간 일제 시대의 독립투사 한 사람이 옥황상제와 대면

했다.

"옥황상제님! 우리나라가 해방이 된 지 60년이 되었는데도 일본만큼 발전하지 못 한 이유는 제대로 된 과학자가 없기 때문입니다. 그러니 과학자 다섯 명만 대한민국으로 보내주십시오."

옥황상제는 이를 불쌍히 여겨 퀴리 부인, 아인슈타인, 에디슨, 뉴턴, 갈릴레오, 이렇게 다섯 명을 보내 주었다. 그리고 몇 년 후에 일이 어떻게 돌아가나 보았더니…….

퀴리 부인은 대학을 졸업하고 취직하려고 했는데, 얼굴도 평범하고, 키도 작고, 몸매도 안 된다고 취직이 안 되어서 집에서 선이나 보라고 구박받고 있었다.

에디슨은 발명을 많이 해서 특허를 신청하려고 했는데, 초등학교 밖에 못나왔다고 신청서를 안 받아 준다고 해서 특허신청을 못 내고 있었다. 어쩌다 연구원으로 취직하려해도 대기업에서 거들떠보지도 않는다.

아인슈타인은 수학만 엄청 잘하고 다른 과목은 제대로 못해서 대학은 문턱에도 못 가보고 놀고 있었다.

그래도 지구는 돈다며 대들기를 좋아했던 갈릴레오는 우리나라의 과학 현실에 대해 입바른 소리를 하다가 연구비 지원이 끊겨서 한강변에서 공공근로를 하고 있었다.

뉴턴은 대학원까지 갔는데 졸업 논문을 교수들이 이해 못해 졸업도 못한 채 집에서 놀고 있다가 철원 최전방으로 끌려갔다.

인터넷을 돌아다니다 같은 내용이 여기저기 실린 경우 그냥 지나치지만 내용이 참신하게 업그레이드 된 경우 다시 한 번 읽는다. 분명 창조물은 아니지만 더 재미있게 더 자연스럽게 각색된 경우를 본다. 위 유머도 그렇다. 예전에 보던 내용보단 더 업그레이드되어 있다. 그러나 아직도 얼마든지 내용을 현대적으로, 대상이 좋아하도록, 웃음이 더 나오도록, 더 흥미진진하게 변형 시킬 수 있다. 위 유머를 이렇게 발전시키면 어떨까?

퀴리부인 '얼굴도 평범하고' 보다는 '얼굴은 얼짱 수준까진 바라지도 않지만 완전히 박경림 같이 아네모네 사각형이지' 식으로 현대화시킬 수 있다.

에디슨 단순히 '초등학교 졸업이라 퇴짜' 보다는 대상이 학생이라면 '초딩' 식의 표현은 어떨까? 좀 과격하게 '서울대 졸업생도 노는데 초딩 출신이 재수 없게 안가? 하고 내쫓질 않나'

아인슈타인 영어 문법 외우다가 끝내 늙어죽었다.

이런 식이다. 나름대로 최신화해서 활용하면 기존에 나와 있는 내용으로도 얼마든지 새롭게 사용할 수 있다. 마치 기존 주택 골조는 살리고 내부 인테리어만 살짝 바꾸는 리모델링 기법이다.

그 날 혹은 최근에 겪은 체험담을 말해주는 것도 좋은 방법이다.

내가 얼마 전 학교 도서관에서 공부하고 있을 때였다. 도서관 입구에서 한 여학생이 걸어오더니만 갑자기 내 쪽으로 살금살금 걸어오고 있는 것이 아닌가. 마치 고양이가 쥐를 낚아채려는 조심스런 걸음걸이로 말이다.

'저 여자가 왜 그러지?'

난 괜한 착각을 하고 있었다. 그 여자는 내가 아니라 내 옆자리에 앉은 사람에게 발길을 향하고 있었던 것이다.

'음, 둘이 커플인가 보군.'

난 마음을 비우고 다시 책을 펴들었다. 그런데 둘이 장난을, 아니 사랑싸움을 하는 것이 아닌가? 그 여자가 갑자기 뒤에서 남자의 두 눈을 손으로 가리며,

"누구~~~~~~게?"

그 남자는 갑작스런 기습에 당황한 듯한 말투로

"누구시죠?"

다시 그 여자 왈,

"아잉, 왜 그래? 장난치지 말고."

난 속으로,

'얼씨구, 잘들 논다.'

그 남자는 다시 말했다.

"음, 목소리가……혹시……정희니?"

그 여자는

"야! 내 목소리도 못 알아보니? 정희? 피이."

그 남자는 진짜 당황한 말투로,

켁...켁....
80년대 유머를...
우웩!
참새 시리즈
유통기한이 지났다면
과감하게 폐기처분하고
신선한 것으로 보충하자.

"정말 누구야?"

그 여자는 이때쯤 손을 풀어놓을 줄 알았다. 그런데 계속 그 상태로 이 한마디를 하는 것이었다.

"이 자리 주인!"

이런 식의 글은 전통적인 범주의 유머완 질이 다르다. 유머적인 단순성이나 언어의 유희도 많이 사용하지 않았다. 그저 체험담을 말한 것이다. 그러나 최근에 이런 식의 글이 사이트에 올라 많은 사람들에게 흥미를 끌고 있다. 사실 체험담이야말로 강력한 웃음메이커인 것이다.

골뱅이무침 통조림만 유통기한이 있는 것이 아니다. 청중의 1/3이상이 알고 있는 내용이라면 과감히 폐기처분하고 신선한 것으로 보충하도록 하자.

대상에 맞는 유머를 구사하라

어떤 젊은 사람이 필자에게 상담을 하러 왔다. 선 볼 때마다 여자한테서 딱지를 맞는다는 것이다. 도대체 무슨 말을 했느냐 물으니 여자 앉혀놓고 군대이야기를 해주었단다. 그것도 세 시간이나 했다니 어느 여자가 좋아하겠는가. 상대가 좋아할 만한 이야기를 꺼내야 한다. 남자가 좋아하는 유머(혹은 이야기)소재는 군대, 정치, 경제, 스포츠이다.

"졸병수통에 술이 있으면 군기빠진 행동, 고참수통에 술이 있으면 비상 소독용."

군대이야기는 남자들이 가장 좋아하는 소재 중의 하나다.

스포츠이야기는 대부분 남자들이라면 다 좋아하고, 그 중 세계 최연소 300홈런의 이승엽이나 타이거우즈 이야기라면 더욱 귀를 쫑긋할 것이다.

당신이 남자와의 대화나 비즈니스자리에서는 이런 이야기를 화제로 삼으면 성공할 것이다.

그러나 여자에겐 여자가 좋아하는 외모, 패션, 사랑, 자녀, 드라마와 관련된 내용을 건네라.

남자 얼굴

- 20대는 설계도
- 30대는 기초공사
- 40대는 마무리
- 50대는 완공

반면에 여자 얼굴

- 20대는 완공
- 30대는 균열
- 40대는 붕괴
- 50대는 폐허

여기서 끝내는 것보단 이어서 다음과 같은 멘트를 붙인다면 더욱 좋을 것이다.

"사실 20대가 가장 아름답다고들 하지만 인생의 기쁨과 아픔을 깊이 경험한 40대 여성이야말로 아름답다고 볼 수 있습니다. 유머와 웃음을 통해서 중년여성의 참된 아름다움을 과시해보세요. 리모델링은 건축에만 적용하는 게 아닙니다."

여성들이 좋아하는 영화는 폭력물보단 사랑영화나 코믹물이다. 예를 들어 '사랑과 영혼, 메디슨카운티의 다리, 러브스토리, 타이타닉' 등. 드라마로는 '가을 동화, 겨울 연가, 올인' 등이 이에 해당한다. 얼마 전 일본에선 '겨울연가' 가 '겨울소나타' 란 제목으로 방영되어 엄청난 인기를 누렸는데 일본 오빠부대들이 배용준을 보기 위해 불원천리 한국을 방문한다. 인기의 비밀은 배용준의 수려한 외모에 기인한 바도 있지만 더욱 큰 비결은 애절한 멜로내용덕이 더 크다. 생각해보라. '돌아오지 않는 해병' 이나 '마지막 방위' 를 보고 탄생된 오빠부대가 과연 있었는지를.

노인에겐 흘러간 이야기를 하라. 다음과 같은 '그때 그 시절' 류의 유머는 듣는 사람들에게 과거를 떠올리는 역할을 한다. 더군다나 젊은이들은 정답을 몰라 쩔쩔매는데 척척 정답을 맞힌다면 노인들의 기가 얼마나 살아나겠는가? 다음은 필자가 노인대학에서의 강의나 노인들과 대담할 때 짐짓 물어보는 소재중의 하나이다.

화장지의 과거사

- 40대=신문지
- 50대=짚
- 60대=돌
- 70대=호박잎

우리나라 가수들의 영어로 된 이름이다.

- 슈가 → 설탕
- 쥬얼리 → 보석
- 솔리드 → 고체

- 언타이틀 → 제목없음
- 이글파이브 → 독수리오형제
- 앤드 → 그리고
- 빅마마 → 큰엄마
- 버블시스터즈 → 거품자매들
- 노이즈 → 소음
- 페이지 → 쪽수
- 윤도현밴드 → 윤도현합주단
- 플라이투더스카이 → 하늘로 날다
- 세븐 → 칠
- YG family → 양군 가족
- 바이브 → 진동
- 클릭B → B누름
- 노브레인 → 무뇌
- 크라잉넛 → 울부짖는 견과류
- 문차일드 → 달아이
- UN → 국제 연합
- 패닉 → 공황
- 왁스 → 광택제
- 체리필터 → 앵두 거르개
- 롤러코스터 → 청룡열차
- 삐삐롱스타킹 → 이동용 호출기 긴 여성용 양말

- 블랙비트 → 검은장단
- west life → 서양의 생활
- Backstreet Boys → 뒷골목 소년들
- 레이지본 → 선천적으로게으른
- 틴틴파이브 → 십대십대5

젊은이들에겐 컴퓨터 게임이나 스타크래프트 최신 가요 등 젊은 층 관심사를 화제로 삼아라. 위 그룹 중 당신이 아마 30대라면 대여섯개는 들어보았을 것이다. 그러나 40대 이상이라면 윤도현밴드 외에는 생소하리라 짐작한다. 젊은 사람들 영어쓴다고 욕할 건 없다. 30여년 전 옛날 가수들도 영어 엄청 썼다.

- 바니걸즈 – 토끼 소녀
- 어니언스 – 양파들

그 외에도 무슨 샌드페블즈니 라나에로스포니 뜨아에무아(영어는 아닌 것 같고)니 지금보다 더하면 더했지 덜하지 않았다.

유머를 할 때 한 가지 더 조심할 부분이 있다. 여성의 경우 찐한 Y담을 좋아하는 사람도 있지만 일반적으로 여성의 20% 정도는 그런 이야기는 물론 말하는 사람도 혐오하니 주의해서 사용해야 한다. 가급적 성기가 묘사된 유머는 상대를 보고 사용할 일이다.

위기를 즐겨라

미국의 역대 대통령 중 긴급한 상황에서 여유 있는 웃음을 통해 국민들을 안심시킨 인물로 레이건을 꼽을 수 있다. 그가 조디 포스터의 스토커인 힝클리로부터 저격을 받고 중상을 입었을 때 전국이 상심과 불안에 휩싸였고 국민들은 매시간 흘러나오는 뉴스에 초조하게 귀를 기울였다. 그러나 정작 당사자인 레이건은 극심한 고통 속에서도 전혀 여유를 잃지 않았으며 오히려 유머로 의료진과 측근들의 긴장을 풀어주었다.

레이건이 병원의 수술대에 누워있을 때 주변에 젊은 간호사들이 여럿 모였다. 레이건이 그녀들을 향해 윙크를 하며 짓궂은 표정으로 말했다.

"낸시는 내가 이러는 걸 알고 있을까?"

수술이 시작되기 전 외과의사들이 모였다. 주치의가 말했다.

"각하, 이제 수술을 시작하겠습니다."

그러자 레이건이 의사를 바라보며 말한다.

"당신들 물론 공화당원이겠지요?"

이 말을 들은 주치의는 빙그레 웃으며 대답했다.

"각하, 우리는 최소한 오늘은 모두 공화당원입니다."

마침내 수술이 무사히 끝났고 레이건이 다시 의식을 회복했다. 측근들이 근심스런 표정으로 다가오자 레이건은 아쉽다는 표정을 지으며 이런 첫마디를 내뱉었다. "할리우드에서 이렇게 저격할 정도로 주목을 끌었다면 절대 영화배우를 그만두지 않았을 텐데……."

이 사례들을 보면 레이건의 여유와 배짱에 감탄하지 않을 수 없다. 총상을 입고 쓰러진 국가 원수가 미모의 간호사에게 윙크를 하며 부인 낸시에게 들킬까봐 걱정을 하고, 메스를 든 의사들에게 소속 정당을 물으며 '민주당원에게는 수술 받지 않겠다' 는 유머를 하고, 뜬눈으로 밤을 지새웠을 측근들에게 깨어나자마자 재미있는 농담을 건네고……. 실로 초인적인 인내와 뛰어난 유머감각이 없으면 불가능한 일이 아니겠는가.

쉴 새 없이 쏟아져 나온 레이건의 이 '병상 유머' 들은 뉴스를 통해 미국의 국민들에게 고스란히 전달되었다. 그리고 그것은 불안에 빠졌던 국민들을 안심시켰을 뿐만 아니라 레이건의 동태에 촉각을 곤두세웠던 국제 사회에도 '난 끄떡없다' 는 메시지를 전했다. 그는 몇 마디의 유머로 미국을 비롯한 전 세계에 흔들리지 않는 리더라는, 그리고 위급한 상황에서도 국민들을 안심시키는 지도자라는 강한 인상을 남겼던 것이다.

필자가 아는 선배가 직접 겪은 일이다. 술을 좋아해서 종류불문, 안주불문, 상대불문이었다. 얼마나 술을 좋아하는 지 수통에도 소주를 가득 채

우고 마시던 사람이었다. 하루는 이 선배, 그러니까 박상병이 갑자기 호출 소리를 들었다.

"5분 대기조 집합하라. 즉각 중대본부 앞으로 집합하라."

총알같이 튀어나갔는데 출동은 아니고 검열관이 나온 것이다. 가는 날이 장날이라고 옆 사병들은 총기, 군화 등을 살폈는데 박상병의 수통을 보자는 게 아닌가. 신선한 물인가 확인하는 순간 알콜냄새가 검열관의 코점막을 자극했다. 얼굴이 벌개진 검열관이 흥분해서 묻는다.

"야, 이게 물이냐, 술이냐?"

위기였다. 영창을 간다면 고생은 물론이요, 그 좋아하는 술도 못 먹게 되는 것 아닌가. 그러나 어찌된 일인지 박상병은 지체 없이 대답했다.

"예, 물입니다."

그러자 검열관은 어이없다는 듯

"이 놈 술이 덜 깼구먼. 술이면 영창이다. 마셔봐."

박상병은 꿀꺽꿀꺽 마시기 시작했다. 검열관은 뭔가 이상하다 생각이 드는지 "고만, 고만 마셔. 어, 어."하는 순간 수통의 술은 한 방울도 남지 않았고 증거가 없어진 이상 영창도 물 건너갔다. 바람직한 상황은 아니지만 선배의 부대에선 수십 년 동안 이 일이 구전으로 장병들의 입을 통해서 전설적으로 전해져 내려온다고 한다.

유머를 그저 시간을 때우기 위한 유용한 도구라거나 분위기를 띄우는 정도로 알고 있다면 유머의 참 맛을 모른다고 밖에 볼 수 없다. 유머의 가장 큰 기능 중 하나가 위기극복이다. 유머형 인간은 위기를 오히려 성공의 발판으로 삼기에 위기를 두려워하거나 두 손을 들지 않는다.

왕따 되는 것을 두려워마라

"왕따를 견디지 못하고 여중생 투신자살"

"유치원에서도 왕따한다."

유치원에서 60대 노인대학까지 왕따가 퍼져 사람들을 괴롭히고 있으니 파리, 모기와 함께 시급히 박멸해야 할 몹쓸 존재다. 왕따란 말은 나쁜 말임에 틀림이 없다. 그러나 세상에 나쁘기만 한 것이 어디 있으랴. 음에는 양이 있고 자에는 웅이 있다. 천에는 지가 있고 안에는 밖이 있는 법. 유머형 인간에게 나쁘기만 한 것은 세상 어디에도 존재하지 않는다. 고로 유머를 즐기듯이 왕따를 즐겨보자.

남보다 앞서가는 사람들은 손가락질 당하는 걸 두려워하지 않는다. 일찌기 예수께서도 당시 기득권층인 사두개인이나 율법주의자들로부터 왕따당하지 않았던가?

"예수 있잖아. 그 친구 왕재수야."

"사람 피두 먹는데."

유방(몸의 일부가 아니라 항우와 싸웠던 한나라 시조 패공 유방)은 한 때 동네 불량배의 가랑이 속을 기는 걸 마다하지 않았다. 고려 무신정권의 시조 최충헌도 이랬다지 아마. 대원군도 역시 이 행위를 해 뭇사람들로부터 손가락질을 받았다. 그러나 그들은 한결같이 큰 뜻을 이루기 위해 일시적 왕따를 감내했던 것이다.

남이 뭐라 하던 자기 목표를 이루기 위해 독특하게 사는 사람들이 있다. 창업을 하고 나면 상호를 지어야 하는 데 남들이 잊지 않도록 머리를 쓴 간판들을 살펴보자.

- 강남 도시락집: 머글래 싸갈래
- 혜화동 화장품가게: 미의 비밀은 화장빨
- 신촌 분식집: 라면군, 우동군 그리고 김밥양의 삼각관계
- 강동구 뷔페: 동방부페
- 송파구 서점: 동네북
- 부산 라면 집: 갖다 줄까? 니가 올래?
- 이천 미장원: 까까? 뽀까?

나이 지긋한 사람들이 오는 고급 한식집이라면 아마 이런 아이디어가

빛을 잃을 지도 모른다.

"어허, 점잖치 못하게 요즘 사람들 왜 저래."

"김 회장, 거 다른 데 갑시다."

그러나 대부분 서민 그중에서도 젊은이들을 주로 상대하는 곳이기에 고정관념을 파괴한 간판들이 제격이다. 사실 가게는 많다. 그러니 사람의 시선을 3초 이상만 끌 수 있다면 이미 반은 성공한 것이다. 남이 뭐라하던 말던 자신의 뜻을 밀어붙인 주인들의 자세가 엿보이는 상호다. 아무쪼록 모두 성공하길 바란다. 유머 하나 더 감상해보자.

결혼과 주식 공통점

1. 희망찬 기대를 가지고 시작한다.
2. 해도 후회하고 안 해도 후회한다.
3. 그 결과를 누구도 예측할 수 없다.
4. 술자리에 가장 많이 등장하는 화젯거리다.
5. 겉모습으로 항상 사람을 속게 한다.
6. 결혼은 우량아를, 주식투자는 우량주를 원한다.
7. 큰 이익을 얻었으면 10개월간 쳐다보지 않는다.
8. "증자" 를 한다.
9. 종목을 고르고 나면 그때부터 단점이 보이기 시작한다.
10. 자기는 이미 하고서 남에게는 절대로 하지 말라고 말린다.

결혼을 하는 이유는 다양하다. 안정감을 얻기 위해, 종손인데 대를 잇는 게 급해서, 너무 사랑해서, 조건이 좋아서…… 이런 건 좋다. 그러나 안 하면 나만 왕따되는 것 같아서 하는 게 문제다. 결혼을 해야만 하는 명분이나 철학, 상대에 대한 열정적 이끌림 없이 그냥 남 눈치 보다가 결혼하는 경우 그만큼 어려울 때 위기를 극복하지 못하는 경우를 자주 본다. 요즘 싱글들에게 이유를 물어보면 다양한 답이 나온다.

'혼자가 편해요.'
'좋은 사람 있으면 오늘이라도 갈 거에요.'
'하고 싶은 거 다 하고 갈려구요.'

어른들은 이해 못하겠지만 이게 요즘 젊은이들의 결혼관이다. 명쾌하고 논리적이다. 결혼도 남 눈치봐서 하는 한심한 사람은 곤란하다. 결혼이든, 취직이든, 여행이든, 복장이든 왕따되는 것을 두려워하지 말자. 어차피 사람들도 먹고살기 바빠서 남들이 전봇대로 이를 닦든 말든 별 관심이 없다.

적당히 남을 의식하는 것은 바람직하지만 필요 이상으로 남을 의식하는 것은 문제다.
"이 정권이 날 죽이려해요."
"내 귀에 도청장치가 되어 있어요."

이런 건 대부분 속이 허해서 생기는 일종의 정신병이다. 병 정도는 아니지만 남 앞에 서면 필요 이상으로 긴장되는 사람들이 있다. 나름대로 유머를 했으나 반응이 없으면 금세 얼굴이 벌개지면서 수치심, 모욕감 등을 느낀다. 일종의 '왕따취급거부증' 이라고나 할까. 이래선 이 한 세상 원만하게 살기 곤란하다.

"김과장님, 그 유머 썰렁해요."

"그래? 하하 내가 생각해도 썰렁해. 그럼 하나 또 해주지."

대담해야 유머도 늘고 성격도 긍정적으로 변한다. 유머형인간은 남으로부터 왕따가 되고 손가락질 당하는 걸 두려워하지 않는다. 진짜 두려운 것은 자기 자신으로부터 왕따 당하는 것이다.

건강엔 돈을 아끼지 말라

남자를 다음의 조합에 의해 네 종류로 나눌 수 있다.

1. 낮에 돈도 많이 벌어오고 밤에 체력도 강하면
   '금상첨화(錦上添花)'
2. 돈은 많이 벌어오는데 체력이 약하면
   '유명무실(有名無實)'
3. 돈은 벌지 못하나 체력이 강하면
   '천만다행(千萬多幸)'
4. 돈도 못 버는 주제에 체력도 달리면
   '설상가상(雪上加霜)'

부부싸움 시 아내가 하는 말이 다 다르다.

1번 남편에겐 "잘 났우~"

2번 남편에겐 "사람이 밥만 먹고 어찌 사누."

3번 남편에겐 "당신이 짐승이지 사람이우?"

4번 남편에겐 "당신이 해준 게 뭐 있우?"

당신은 어떤 말을 듣고 사는가? 1번은 못 될망정 3번의 자리는 놓이지 않아야겠다는 게 필자를 비롯한 남성들의 한결같은 꿈이다.

돈을 벌면 제일 먼저 어디에다 쓸까? 사업에도 투자해야 되고, 옷도 사입어야 한다. 가족들과 외식도 해야 한다. 그러나 가장 먼저 신경 쓸 것은 우선 건강이다. 왜? 건강하면 돈은 얼마든지 벌 수 있으니까. 아무리 돈이 많아도 건강을 잃으면 돈 써보지도 못한다. 웃음은 건강과도 밀접하다. 너무 아프고 힘들면 제일 먼저 우리 얼굴에서 사라지는 것이 웃음이요 입에서 사라지는 것이 유머다. 이렇게 유머와 건강은 아주 밀접하다.

외딴 시골 약국에서의 일이다. 워낙 깊은 산골이라 있는 것보다 없는 것이 더 많았다. 어느 날 환자가 감기약을 달라고 하자.

약사 "감기약은 없어요. 그냥 푹 쉬면서 나을 때까지 기다리세요."

환자 "하지만 너무 괴로운 걸요."

약사 "그럼, 얼음물로 목욕을 하고, 속옷만 입은 채로 밖에 나가 돌아다니세요."

약사의 말에 환자는 깜짝 놀라며 말했다.

"그러다가 폐렴이라도 걸리면 어떡하죠?"

그러자 약사가 자신있게 말했다.

"저희 약국에 폐렴 약은 있거든요."

어느 큰 병원에서 아침 회진을 하고 있는 의사를 붙들고 환자가 말했다.

"의사 선생님 저의 병에 대하여 가르쳐 주십시요. 딴 의사 선생님들은 다른 의견을 가지고 있는 것 같은데요. 사실을 말해 주십시오."

"잘 들으세요, 그 병은 생존 할 수 있는 확률이 10 분의 1 이에요. 하지만 당신은 틀림없이 살아남을 겁니다."

"어째서요?"

"그건 말이요, 그 병에 걸린 환자가 내 치료를 받고서 지금까지 9명이 죽었기 때문이지요."

약국이나 병원을 통해서 건강을 찾는 경우는 기껏해야 10% 정도다. 진짜 중요한 것은 자신에게 달렸다. 나도 40대가 되니 몸이 예전 같지 않다는 걸 느낀다. 30대 후반만 해도 짱짱했다.

수년 전 어느 날의 스케쥴이다. 새벽 3시 기상, 서울에서 운전해서 부산 해운대 도착, 점심 먹고 오후 강의하고, 저녁 식사 후 전라도 광주로 이동, 중간에 차안에서 모포 덮고 잔다. 해장국 먹고 오전 강의, 다시 나의 애마를 몰고 수원에서 저녁 강의 한 후 서울 도착. 건강? 이상 무! 피로? 약간. 이랬는데 40 고갤 넘으니 몸이 스케줄을 거부한다. 장시간 운전 과로하면 구내염으로, 허리요통으로 몸에 신호가 온다.

'주인님! 네 몸이라고 함부로 굴리지 마세여.'

음주운전 보다 더 위험한 게 과로 운전이다. 직업상 과로를 피할 수 없다면 과로를 이길 몸을 만들어야 한다. 실미도에 나오는 안성기 몸처럼. 참고로 나의 건강 지키기 방법은 이렇다.

1. 몸에 들어가는 것을 바꾸자.

우리 몸이 하루에 필요한 공기가 30톤이란다. 전국을 다니다보니 운전을 많이 한다. 자연 공해에 노출되는 데 이를 보상하기 위해 좋은 공기를 틈만 나면 마신다. 산속에 사니 집에서도 마시고 운동도 주로 산중턱 클럽을 이용한다. 전국의 연수원도 대부분 산 속에 있는데 그 점은 너무 감사하게 생각한다.

그 외 맑은 물, 현미 등 생식, 집 주위에서 막 뜯은 산나물, 비타민 복합제 등 적당한 건강식품을 애용한다. 몸에 나쁘다는 담배는 20대에 끊었고, 과음, 과식, 인스턴트식품은 최대한 멀리한다.

2. 운동을 하자.

나같이 스케쥴이 불규칙적인 사람에게 가장 적당한 운동은 걷는 것이다. 일어나면 뒷동산 산보, 시간 좀 나면 산 한바퀴 돌기, 호숫가 걷기, 동네 어슬렁거리기. 등산, 배드민턴. 비올 땐 집에서 한다. 헬스기구는 돈과 공간이 필요하지만 그저 거실에서 아령도 하고 복식호흡도 한다. 사실 뛰어야만 운동은 아니다. 찾아보면 얼마든지 시공간 확보해서 몸을 단련시킬 수 있는 방법이 있다.

3. 웃자.

웃는다는 게 쉽지 않다. 그러나 찾으면 방법은 얼마든지 있다. 우선 남이 웃길 때 즉시 웃는 습관을 가진다. 그 사람도 좋아하고 나도 좋고. 이 사람 저 사람 볼 때마다 밝은 얼굴로 인사하다보면 저절로 웃게 된다. 스트레스가 누적되지 않도록 하루에 열 번 웃는다.

유머형 인간이 되려면 우선 건강형 인간이 되겠단 각오가 필요하다. 건강에 돈을 아끼지 마라. 건강이 돈도 찾아주고 웃음도 찾아줄 테니까.

스스로 흥분하라

열등생의 특징

1. 닥쳐야 공부한다.
2. 계획만 잘 세운다.
3. 공부하기 전 할 일이 참 많다. (특히 책상정리)
4. 한 군데 오래 못 있는다.
5. 10분 공부하고 3시간 쉰다.
6. 닥치면 해야지 하고선 막상 닥치면 자포자기한다.
7. 잘 세운 계획만으로 흡족해한다.
8. 동태를 살피고 동지를 찾는다. (같이 포기하자는 등…… 공부 안해도 한 가지만 잘하면 성공한다는 등)
9. 조금 자고 해야지 하다가 결국 일어나면 해가 중천에 떠 있다.
10. 밤새 졸다 자다 한 걸 '밤샘' 한 것으로 철석같이 믿는다.
11. '공부 좀 하고 자야지' 가 아니라 '좀 자고 나서 해야지' 한다.

12. 두꺼운 책은 베개하기에 좋다.

13. 오색찬란한 필기노트

14. 시험기간만 되면 국민좌담이나 시사프로 같은 게 무진장 재미있다.

15. 책상에 필기 복사물만 그득 쌓여 있다.

16. 기적을 믿는다.

17. 머리는 좋지만 안 해서 못하는 거라 생각한다.

18. 공부는 못해도 인간성은 '짱' 이라 생각한다.

고등학교 동창 중에 공부 잘하는 친구가 있었다. 이 친구는 하루 종일 책을 본다. 밥 먹을 때, 화장실 갈 때, 걸을 때, 인사할 때도 책을 본다. 그 친구가 책을 손에서 뗀 걸 본 사람은 단 한 명도 없다. 잘 때는 어떻게 책을 보는지 궁금하다. 반대로 우리 대부분은 책을 보기를 원수 보듯 했다. 왜? 재미없으니까. 우등생들 보면 공부가 재미있기 때문에 열심히 하는 것이다. 고2가 되자 은근히 걱정이 되었다.

'어영부영 이래도 될까? 공부해야 되는데 나중에 후회할 텐데…….'

이러다가 어느 날 내 몸 속인지 마음 속인지 깊숙한 곳에 이상한 현상이 생겼다. 갑자기 안암동에 있는 모 대학이 날 흥분시켰다. 그 넓직한 운동장, 그 중후한 본부 건물, 그 우람한 돌로 된 정문. 갑자기 목표가 생기고 그 정문을 지나가는 나 자신을 상상하자 갑자기 에너지가 생기고 온 몸의 기(氣)가 운(運)하는 걸 느낄 지경까지 되었다.

"한 번 공부란 놈이 어떤 놈인지 만나볼까."

그러자 공부가 재미있게 되고 책이 달았다. 나도 공부벌레 친구 놈처럼 하루 24시간 책을 들고 다니며 비슷한 벌레가 되어갔다. 잘 때도 책을 멀리 놓지 않았다. 자는 중에도 인수분해, 고시조가 머리 속에서 돌아다녔으니까? 그래서 마침내 내가 원하는 대학에 드디어 축! 합격…… 했으면 좋으련만. 우리나라 대학이 고작 1년 반 죽어라 공부한다고 문을 열어줄 정도로 호락호락하진 않다.

그러나 이 때의 체험은 내게 귀중한 걸 주었다. 내 자신이 흥분하고 미치면 하는 일이 재미있고 재미있게 일하면 뭐든지 달성할 수 있다는 소중한 체험을 한 것이다.

이후로 난 꼭 이루고 싶은 목표가 생기면 먼저 나 스스로를 흥분시킨다. 대학이 들어가고 싶으면 그 대학 정문으로 해서 캠퍼스 대학 본부에 중앙도서관까지 어슬렁거린다. 어느 정도였냐 하면, 하루는 어느 학생이 인문관을 묻길래 저리 가라고 가르쳐주었는데 난 재수생이었고 물은 사람은 그 대학 학생이었다. 주객이 전도되었다고나 할까. 심지어는 데모를 할 때도 뒷줄에 서서 스크럼 행진을 하고 도서관 앞에 대자보 붙이는 친구도 도와주었으니까. 어느 샌가 흥분이 되기 시작했고 난 목표를 이룰 수 있었다.

언젠가는 돈이 필요했다. 아르바이트일 망정 돈을 벌고 싶었다. 은행에 가서 현찰이 이리저리 움직이는 걸 보자 슬슬 흥분이 되었다. 흥분된 에너지를 가지고 세일즈, 과외, 대리운전 등으로 역시 목적을 이룰 수 있었다.

사람의 힘이란 참 무섭다는 걸 느낀다. 내면에서 솟아나오는 에너지만 있으면 누구도 어떤 목표도 이룰 수 있다는 것을 난 믿는다. 체험했기 때문이다. 유머형 인간은 스스로를 흥분시키는 사람이다. 직장인이 내면으로부터 흥분을 느끼면 주인의식을 가지고 재미있게 일을 하게 된다. 조직에서 고속 승진하는 사람들은 대부분 이런 사람들이다. 비즈니스맨이 스스로 흥분하면 고객 연구에 대해서, 상품 분석에 관하여 미치도록 매달리게 되며 이는 곧 고 실적으로 연결된다. 필자의 친구중에 네트웍마케팅에 미친 사람이 있다. 남이 뭐라고 하든 입에서 거품을 물며 비전을 설명하는가 싶더니 3년도 안되어 친구중 단연 최고의 연봉을 받는 존재가 되었다.

매너리즘, 시간 때우기, 복지부동. 유머형 인간은 이런 단어를 모른다. 주인의식, 신나게 일하기, 인생은 재미있다. 이게 유머형 인간의 어휘들이다.

매끄러운 유머로 **상황을 연결하라**

통계학 시험시간이었다.

복잡한 계산을 해야 하기 때문에 전자계산기는 필수였다.

시험이 시작돼 모두들 고개를 숙이고 계산기를 두드리느라 여념이 없었다. 그런데 강의실 한 쪽에서 비명소리가 들렸다.

"아! 이거 리모컨이잖아!"

어느 유명한 누드화가가 국전을 위한 준비 때문에 바빴다. 오랫동안 구상한 대로 올해 주제는 고전미인의 나체. 마침 마음에 꼭 드는 모델을 발견해서 며칠동안 열심히 작업을 했다. 아침 일찍 출근한 모델. 상냥하게 인사를 하고는 일할 준비를 하려고 겉옷을 벗었다.

화가 아, 오늘 좀 피곤한데 우선 커피나 한잔 하고 시작할까?

커피를 마시면서 부드러운 눈빛으로 이런 저런 이야기를 주고받다가 창밖을 바라보던 화가가 벌떡 일어나며 소리쳤다.

화가 이런 세상에! 빨리 속옷도 벗어, 우리 마누라가 오고 있어!

리모컨에 대한 일화의 주제는 건망증이다. 뒤의 이야기, 일자리 구하기 누드모델에 대한 일화는 무서운 마누라에 대한 내용을 담고 있다. 유머센스는 순발력에 있다. 즉 건망증에 대한 이야기를 계속 하고 있다면 그와 관련된 우스개나 일화를 계속적으로 치고받으며 하게 된다.

"야, 건망증 대단한 건 동물도 마찬가지라니까, 어떤 사람이 잉어를 잡아서 애완용으로 키웠대. 외출할 때도 데리고 다니고. 근데 어항 물이 무겁잖아. 그래서 밖으로 잉어를 꺼냈지. 힘들어하면 도로 물에 넣으며 물에 있는 시간을 조금씩 줄인거야. 수개월이 지나자 잉어가 완전히 물없이 지내게 되었고 급기야는 자신이 강물 출신이란 걸 망각한 거지. 하루는 주인과 함께 강을 건너다 발을 헛디뎌 물에 빠졌는데…… 헤엄치는 걸 잊어서 익사했대."

사람들이 건망증에 대한 관심이 있을 땐 건망증, 독도에 관심이 있을 땐 독도이야기를 꺼내는 게 센스다. 마찬가지다. 누가 무서운 마누라에 대한 이야길 한다면 자연스럽게 받아서 한다.

"애처가가 전화하는 이유…… 사랑하니까. 반면 공처가가 전화하는 이유…… 안하면 맞으니까."

반면 하늘에서 내리는 겨울의 눈 이야기하는 데 갑자기 눈병 이야기하고, 식사를 화제로 삼는데 뜬금없이 공동묘지이야기 하는 등 자다가 봉창 두들기는 유형이 있다. 이런 사람들을 위해 나온 속담이 있다.

'가만히 있으면 중간은 간다.'

'말이라고 다 말이 아니다.'

'침묵은 금이고 웅변은 은이다.'

원래 사람들은 방금 자신들이 겪은 이야기나 웃었던 것에 관심이 많다. 방송 진행자들을 보라. 전날 폭설이 내려 전국적으로 큰 피해를 입었다면 눈과 관련된 소재, 주제를 준비해서 이야기 한다. 마찬가지로 올림픽시즌이면 금메달 이야기, 월드컵 기간이면 월드컵 이야기를 한다. 사람들의 마음이 그 한 가지에 쏠려 있기 때문이다.

강사 입장에서 나도 이런 방법에 신경을 안 쓸 수 없다. 강의 하러 연수원에 갔는데 청중들이 웅성웅성한다. 교육담당자에게 묻는다.

"김대리님, 무슨 일이에요?"

"아, 강사님 오셨어요. 어젯밤 난방이 제대로 안 되서 모두 벌벌 떨고 한숨도 못 잤답니다."

이러면 다른 준비한 말을 일단 보류하고, 첫마디로

"어제 추우셨지요? 사람이 잠을 편히 자야 힘이 나는 법인데 말이죠. 잠과 관련된 일화 하나……."

그리곤 추위에 뭉친 근육을 풀어주는 스트레칭 등을 한다.

강의 중 누군가가 우스꽝스런 말을 하면 받아치면서 같이 웃는다. 질문을 받으면 '참 좋은 질문이네요.' 칭찬해주고 그 내용과 관련된 적당한 유머를 전개한다. 앞 상황과 자연스럽게 연결해서 풀어나가는 솜씨야말로 유머형 인간의 자랑이다.

6 _ 유머형 인간을 만드는 10주 프로젝트

- 1주 | 바꿔서 생각하기
- 2주 | 재미있는 사람을 친구로 만들기
- 3주 | 단점을 장점으로 바꾸기
- 4주 | 유머카드 만들기
- 5주 | 마이크와 친구하기
- 6주 | 나만의 개인기 준비하기
- 7주 | '수사반장' 으로 조크유머 정복하기
- 8주 | 자기 체험담 전하기
- 9주 | 재수있는 얼굴로 바꾸기
- 10주 | 유머형인간의 대인관계 노하우
  Yes & But 실천하기

1주 |

바꿔서 생각하기

가난했던 두 친구가 있었다.

두 사람은 오랜만에 만나게 됐는데 한 친구가 큰 부자가 되어 있었다.

"야, 자네! 정말 반갑네."

"어이구, 자네. 어떻게 그리도 성공을 했나?"

"응, 별건 아니고……, 거시기에 바르면 바나나향이 나는 향수를 발명했거든."

"오! 그렇군."

그리고 둘은 헤어졌다.

1년 후 두 친구는 다시 만나게 되었다. 그런데 놀랍게도 부자였던 친구보다 가난했던 친구가 훨씬 더 큰 부자가 되어 있는 것이었다.

"자네! 어떻게 된 거야? 나보다 훨씬 좋아 보이는군."

그러자 친구가 말했다.

"하하! 자네 아이디어를 좀 빌렸어. 바나나에 바르면 거시기 냄새가 나는 향수를 발명했다네!"

한 사람은 남자 고객을 노린 듯하고, 또 한 사람은 여성 고객을 노린 듯한데 아무래도 후자의 판정승인 것으로 보인다. 재주는 곰이 넘고 돈은 누가 번다고 조금만 바꿔서 생각하면 인생이 즐겁다. 유머란 게 원래 남과 조금 틀리게 생각하는 거다. 때론 뒤집어 보고 열어보고, 앞으로 보았다 뒤로 보았다, 전혀 다른 두개를 하나로 모으기도 하고 한 개를 두개로 조각내는 기술! 이름 하여 유머라 한다. 바꿔서 생각하라.

중세 유럽에 '바보제'(the feast of fools)란 게 있었으니, 길게 풀어 쓰면 바보들의 축제란 뜻이다. 얼핏 보면 당대의 좀 모자란 사람들이 사방에서 너도 나도 모여 친목회를 가진 것이라 추측되기 쉬우나 그건 너무 오버센스다. 그럼 이게 무어냐? 이 축제 기간엔 계급이 바뀌는 것이다. 하류층이 상류층 옷을 입고 평민들이 귀족 행세를 한다. 아니 그럼 '야자타임' 아녀? 그렇다. 그 비슷하다. 이 날 선배, 고참, 상사, 양반들은 눈치만 보고 후배, 졸병, 부하, 평민들이 활개를 친다. 완전 바뀌어 노는 것이다.

유래가 어떤지는 모르나 이 바보제가 평민들에게만 신나는 게 아니다. 귀족입장에서 보면, 하류층들이 그 날 폭소와 함께 억압의 스트레스를 충분히 발산시키게 되고, 이는 노비들의 생산성 향상이라는 이익으로 연결된다. 이 방법은 필자가 '유머경영'(fun management)이란 제목으로 몇몇 기업에서 강의하며 자주 소개했던 기억이 난다.

사실 매일 매일이 똑같다면 얼마나 지겹겠는가? 원래 우리 조상들은 지겨움을 몰랐다. 봄이면 씨앗뿌려 여름이면 꽃이 피고 가을이면 풍년되어 겨울이면 행복하게 화롯불 쬐며 오손도손 이야기하는 삶. 초봄에는 머위, 취, 돈나물, 참나물, 민들레, 어떤 산나물을 먹어도 일류 음식이다. 창을 갈아 노루, 사슴 멧돼지도 잡는다. 저녁이면 동굴 앞에 모닥불 피워놓고 노래하며 고기를 뜯는다. 술에 취하고 고기에 배부르면 노인들은 쉬러 들어가고 에너지가 넘치는 청춘남녀들은 맘에 맞는 파트너끼리 은밀한 곳을 찾는다. 밤하늘의 별, 졸졸 흐르는 시냇물 소리. 여름의 뜨거운 태양은 오곡백과 영양분을 실하게 채우고 가을엔 수확한다. 겨울의 휴식이 끝나면 또 봄.

그러던 것이 문명의 발달과 함께 다람쥐 쳇바퀴 도는 식으로 일을 한다. 신입사원 때는 의욕이 넘치지만 이내 매너리즘에 빠진다. 하루하루의 지겨운 일상성을 깨지 못하고 그저 소주 한잔에 신세타령하는 것으로 하루를 마감한다. 나중엔 술자리도 하나의 통과의례 비슷한 일상작업이 된다.

인간성을 회복하기 위해서라도 바꿈의 철학은 필요하다. 당신이 남자라면 당장 오늘 저녁 설거지를 해 보라. 어른이라면 자식이 다니는 학교 앞에서 시뻘건 떡볶이를 입주위에 고춧가루 묻히며 사 먹어보자. 학교 졸업한 지 오래되었다면 오랜만에 청룡기 야구에 출전하는 모교 후배 선수들 응원해보자. 상대방에게 '우' 야유도 보내고 그 때 그 시절 불렀던 응원가에 파도치기도 해보자. 당신이 회장이라면 운전기사와 최고급 사우나에 가서 등도 한 번 밀어주라.

남자가 여자 마음을 잘 알면 여자들에게서 인기가 높다. 플레이보이들은 이 방면에 도사다. 여자가 남자 마음을 잘 알면 남자들 귀가 시간이 빨라진다.

계속 바꿔보자. 상상의 나래를 펼쳐라. 당신이 여자(남자)가 된다면 무얼 하겠는가? 어딜 가겠는가? 당신이 어린 시절로 돌아간다면 어느 시절로 돌아가겠는가? 그 시점에서 과거완 다른 결단을 내리겠는가? 100억이 생긴다면? 투명 인간이 된다면 어디부터 가고 싶은가? 자, 이 글을 읽는 걸 잠시 멈추고 빨리 상상해 보라. 투명인간이 되면 여탕에 가겠다고? 솔직하군. 정치인들 모임에 가서 그들이 국익을 위해 일하는지 아니면 당리당략을 위하는 지 알아보겠다고? 음 시간 낭비하는군. 그걸 꼭 투명인간이 되어야 아는가.

자, 당신이 어떤 상상을 하든, 그걸 누구에게 이야기하는 순간 당신의 유머센스는 일취월장 향상된다. 유머형 인간은 고정관념에 빠져 일상을 지겹게 사는 사람이 아니다. 바꿔서 생각할 줄 알기에 입에선 재미있는 유머가 나오고 마음속에선 남을 배려하는 따뜻함이 배어나온다.

유머형 인간을 위한 액션 플랜(Action Plan)

- 남자라면 설거지를 해보자.
- 우리 회사에 바보제를 도입해보자.
- 자식 입장에서 일기를 써본다.
- 100억이 생긴다면 꼭 하고 싶은 것 열 가지를 적어본다.
- 신이 나의 성공을 위해 매일 천사 한사람씩 보내준다고 상상하고 오늘의 천사가 누군지 적어보라.

2주 |
재미있는 사람을 친구로 만들기

바꿔서 생각해보는 것을 한 일주일 하면 세상이 재미있어지고 재미있는 사람을 만나고 싶어진다.

김흥국이 박미선과 라디오진행 중 애청자와 전화 통화하는 코너가 있는데 이런저런 얘기하다가

김흥국 남편 분은 뭐하세요? (특유의 김흥국 말투)

주부 2년 전에 사별했어요.

박미선 저런…….(안타까워하며)

김흥국 아, 그랬군요. 성격차이 때문에?

신청곡이 있어서 신청곡을 틀려는 듯하다.

제목은 '철없는 아내' 였는데

김흥국 네. 이번 들으실 곡은요……, '털' 없는 아내.

노래 실력으로 보나 말 실력으로 보나 최고의 가수, 최고의 MC라고 선뜻 말하긴 좀 그런 연예인이 김흥국이다. 그러나 그는 노래면 노래, 진행이면 진행, 초대 손님이면 초대 손님으로 우릴 즐겁게 해 준다. 왠지 재미있게 세상을 사는 사람이기에 그렇다.

부자 되는 비결은 간단하다. 부자들과 밥 먹고 부자들과 쇼핑하고 부자들과 친목회 하고 부자들과 낚시하러 다니면 금방 부자 된다. 책에도 없는 삶의 노하우를 익힐 수 있기 때문이다. 마찬가지로 재미있는 유머형 인간이 되려면 재미있는 사람들과 자주 만나는 게 중요하다.

주위를 둘러보면 그런 사람 있다.

"까르르 깔깔."

별 이야기 아닌데도 숨이 넘어가게 웃는다. (송도순, 최유라)

어떤 사람들은 표현을 다양하게 한다. 유명인 말투, 여자 말투, 사투리.(배칠수, 강석, 김혜영)

듣다보면 잘나가다 삼천포에 사람을 내려놓는 반전에 능한 재주꾼들도 있다. (이택림)

근묵자흑(近墨者黑)이라 했다. 묵 가까이 가면 검어진다는 뜻이니, 재미있는 사람 자주 만나면 자신도 재미있어지고 성격도 밝아지게 된다. 필자 주위에도 밝은 사람들이 많다. 마음 깊은 곳으로부터 존경하는 휴머니즘 유머의 대명사 '김찬국 총장님', 잘 때도 혹 웃지 않을까 추정되는 초강력 울트라 캡션 짱 스마일 우먼 '박은규 서비스 강사', 항상 인심 좋은 얼굴의 '동창생 남해연'…….

재미있는 사람을 친구로 만드는 가장 강력한 방법이 있다. 내가 먼저 재미있는 사람이 되는 것이다. 유유상종이라. 인간은 비슷한 사람끼리 어울리는 법이라. 재미있는 사람을 알게 된다. 재미있는 사람들은 대부분 성공을 했거나 곧 성공을 할 사람들이다. 그 사람들과 함께 친구하면 나도 따라서 재미있는 사람, 성공하는 인생이 된다.

자, 떠나자! 재미있는 사람을 만나러. 라디오 속에도 있고 당신 동창 중에도 있다. 회사 동기 중에도 있다. 웃지 않고 지나간 하루는 낭비된 하루다. 유머 없이 지낸 하루는 없어진 하루다. 유머형 인간은 인생을 낭비하지 않는다.

유머형 인간을 위한 액션 플랜(Action Plan)

- 재미있는 사람에게 먼저 연락하라.
- 남에게 웃음을 주는 사람이 되자.
- 주위에 긍정적인 사람이 몇이나 되는지 세어보라.
- 내가 평상시 하는 말을 분석해보자.
- 감사의 눈으로 세상을 본다.

3주 |

단점을 장점으로 바꾸기

세상을 재미있게 사는 사람을 만나 보면 그들은 단점을 장점으로 바꾸는 마술사란 것을 알게 된다. 3주차 과제 '단점을 장점으로 바꾸기'는 너무 중요한 것이기에 내용이 상대적으로 많다.

세 명의 유태인 어머니가 아들 자랑을 하고 있었다.

첫 번째 어머니가 말했다.

"내 아들은 성공했어요. 뉴욕 시에서 최고의 변호사랍니다."

두 번째 어머니가 말했다.

"내 아들은 그보다 나아요. 뉴욕 시에서 최고의 의사라니까요."

세 번째 어머니가 말했다.

"우리 아들은 별로에요. 이렇다 할 직장도 없답니다. 학교 다닐 때 공부는 좋아하지 않고 친구들만 좋아해서 제가 야단도 많이 쳤지요. 그런데 우리 아들은 대단한 남자 친구를 둘이나 가지고 있어요. 하나는 뉴욕 시에서 최고의 변호사이고, 다른 하나는 그 도시에서 최고의 의사랍니다.”

공부는 제대로 하지 않았지만 좋은 친구들을 두루 가진 것을 보면 인간성이 좋았던 모양이다. 공부도 체질이 아닌 사람이 있다. 사실 필자를 포함해 대부분의 사람이 그렇다. 억지로 공부하라 한다 해서 잘 하는 것도 아니고 공부 못한다고 좌절할 필요 없다. 하버드 대학 졸업생 100명의 30년 후를 조사해 보았더니 학점 좋은 사람들의 30%가 성공한 반면 대인관계 좋은 사람들의 70%가 성공해있더라는 보고서가 있다. 남에게 퍼주기 잘 하고 친구 놀러 오면 잘 재워주는 것도 학점이나 자격증 못잖은 큰 재산이다. 유머형 인간은 긍정적이다. 단점을 장점으로 바꾼다.

“어허, 저 비 좀 보게. 우리 큰 아들놈이 소금 장사인데…….”
며칠 후
“어허, 저 해 좀 보게. 작은 놈이 우산 장사인데…….”

아들이 성적표를 받아왔는데 모두 ‘가’. 영어, 수학, 도덕, 실과, 자연, 음악, 미술 일목요연 ‘가’로 도배를 했다. 그런데 맨 마지막 체육이 ‘미’가 아닌가. 환한 미소로,
“아들아, 너무 한 과목에만 치중하는 거 아니냐?”

앞의 아버지는 장점을 단점으로 바꾸는 버릇을 가졌다. 비가 오면 작은 놈이, 해가 뜨면 큰 놈이 이익이라고 생각하는 능력이 부족하다. 반면 뒤

아버지는 시궁창에서도 장미를 발견해내는 성격을 가졌다. 이런 사람이 유머형 인간에 가깝다. 단점을 장점으로 바꾸는 능력이 탁월하기 때문이다.

여기서 문제 하나! 키 큰 사람을 만났을 땐,

① 키가 훤칠하시네요.

② 키 크고 싱겁지 않은 놈 없다는데…….

③ 올려다보려니 목 아프네.

물론 답은 ①번이다. 남의 장점을 빨리 제대로 인정해주면 인간관계가 좋아진다.

그 외 키가 크면 좋은 점,

- 배우자감으로 인기다.
- 누가 시비 걸지 않는다.
- 항상 내려보며 이야기하기에 얼굴에 코에 빗물 안 들어간다.

반면 키 작으면 좋은 점

- 안정감이 있다.
- 불경기시 옷값, 신발값 절약된다.
- 유명한 사람 중에 키 작은 사람 많다. 등소평, 박정희, 최성국, 김승현 등등.

자기가 대머리란 사실을 속이고 여자를 사귄 남자가 있었다. 연애기간이 길어짐에 따라 사랑도 깊어졌고 이젠 비밀을 고백해도 이해해주리라 여겨 고백한다.

"자기 사실은 나 숨겨온 비밀이 있어."

그러자 여자가 남자의 입을 손가락으로 막으며,

"자기 말할 필요 없어. 난 자기가 돈이 없어도, 대학을 안나왔어도 괜찮아. 이미 우린 사랑하잖아. 난 자기가 대머리만 아니라면 어떤 단점도 다 이해할 수 있어."

이 여자는 뭘 모르는 것 같다. 사실 대머리인 사람들이 장점이 엄청 많다. 통계적으로 볼 때 머리가 좋고, 인간성이 좋으며, 생활력까지 강하다. 사랑에 눈이 멀면 상대 발가락의 때도 예뻐 보이는 법이요, 그녀가 남긴 음식도 전혀 꺼리지 않게 된다는 것을 알만한 사람은 다 안다. 객관적으론 아무리 못난 상대라도 사랑의 안경을 쓰고 보면 다 장점이다. 목소리가 기차화통을 삶은 것 같아도 "자기의 씩씩한 목소리는 매력 포인트야." 구렛나룻이 안면을 도배했어도,

"야성적인 분위기가 난 좋아."

유머형 인간이 되면 사랑하는 사람의 심정을 가지게 된다. 아마 누구나 한 번 쯤은 경험했을 것이다. 왠지 모르게 정이 가고, 아름다워 보이고. 세상이 날 보고 웃어주는 것 같은 느낌. 그 감정이 한 2년 간다. 유머형 인간이 되면 그 감정을 평생 느낀다.

한 번은 필자가 강의 중 핸드폰 소리를 들었다. 당사자는 당황하여 얼

굴이 벌개졌다. 그는 진동모드(매너모드)로 놔둔 것인데 '드르륵' 하는 소리가 꽤나 크게 났던 것이다.

"핸드폰 소리군요. 저런 분같이 매너 있는 분이 성공합니다. 매너 있게 매너모드로 바꾸었군요."

청중들이 와하고 웃는다. 썰렁한 분위기를 없애놓고 한 마디 더 한다.

"그런데 매너모드가 오히려 매너 없이 큰 소리가 나니 이게 뭡니까. 차라리 멜로디소리라면 음악이나 감상할텐데."

이 정도하면 강사도 청중도 실수한 사람도 모두 배꼽을 잡고 웃는다. 당사자에게 상처를 주는 일 없이 깊은 깨달음 또한 줄 수 있으니 일거양득 교육이 되는 것이다.

어떤 때는 멜로디 소리가 흘러나온다.

"이게 뭔 소리래요?"

일부러 좀 사투리 섞인 재미있는 말투로 한마디 한다. 아직까지 청중들은 웃지 않는다. 왜? 강사가 불쾌해하는 건지 아닌지 모르기 때문이다. 여기서 한마디 더,

"참 대단하신 분입니다. 연세는 드셨지만 멜로디는 최신 곡이군요. 시대를 앞서가는 모습이 장합니다."

이 정도 하면 모두 배꼽을 잡고 웃는다.

보통 강의장에서 핸드폰 소리가 나는 것은 금기로 여긴다. 다수에게 피해가 되기 때문이다. 강사가 신경질을 내기라도 하면 남은 교육시간 내내

분위기 망치게 된다. 단점(핸드폰 소리)을 장점(웃음)으로 만드는 게 유머형 인간의 자랑이다.

당신은 어떤 단점이 있는가? 장점으로 보려 노력하라. 당신은 강한 사람이 될 것이다. 당신 주위 사람은 어떤 단점이 있는가? 그걸 장점으로 보아주라. 조만간 그들이 당신의 인맥으로 형성될 것이다.

유머형 인간을 위한 액션 플랜(Action Plan)

- 당신의 단점을 열거한 후 장점으로 바꾸어보라.
- 가족들의 단점을 열거한 후 장점으로 바꾸어보라.
- 직장동료의 단점을 열거한 후 장점으로 바꾸어보라.
- 친구의 단점을 열거한 후 장점으로 바꾸어보라.
- 그리곤 그들 앞에서 그것을 칭찬해주라.

4주 |
유머카드 만들기

자 이젠 슬슬 남에게 멋진 이야기를 전해주고 싶은 생각이 들 것이다. 그런데 어떻게 전하지? 어떤 이야기를? 어디서 구해서? 어떻게 기억하고? 어떻게 전하나? 그리고 그 모든 것을 어떻게 정리하나? 이런 것들을 해결해 주는 게 바로 유머카드다.

문구점에 가면 간단히 접어서 만드는 종이박스가 있다. 그 안에 두꺼운 종이카드를 넣는다. 각 장의 카드마다 유머 내용을 적는다. 그리곤 주제별, 대상별로 분류하는 데 보통 컬러로 된 카드가 따로 있어 분류하기 편하게 되어있다. 필자는 예전 대학원 논문 쓸 때도 카드식 방법을 이용했고 훗날 유머카드 만날 때도 문구점에서 세트로 구입해 이용했다. 이 정도 말하면 대부분 이해할 것이다. 웬만한 큰 문구점엔 크기 별로 다 구비되어 있다. 그럼 실제 해 보자.

저녁 무렵 약국에 한 사내가 들어와서 다급하게 말했다.

"딸꾹질 멎게 하는 약 좀 주세요."

약사는 "예, 잠시만요." 하면서 약을 찾는 척 하더니 사내의 뺨을 있는 힘껏 내리 갈겼다. 그리곤 히죽거리며 말했다. "어때요. 멎었죠? 하하."

그러자 사나이는 약사를 한참 바라보더니 말했다.

"나 말고 우리 마누라……."

남녀가 도시를 벗어나 한적한 교외로 드라이브를 나갔다. 숲이 울창한 곳에 도착한 그들이 뜨겁게 달아오르기 시작할 때 갑자기 여자가 남자에게 말했다. "고백할 게 하나 있는데……. 사실 나는 직업매춘부거든? 한번에 5만원이야."

남자는 한참 뜨거워진 상태였기 때문에 지갑에서 돈을 얼른 꺼내주었다. 그들이 일을 끝내고 남자는 담배를 피워 문채 가만히 앉아 있었다. 여자가 남자에게 말했다. "왜 안가? 화났어?"

남자가 말했다.

"아니, 그게 아니고……. 나도 고백할게 하나 있어. 난 사실 택시 운전사거든? 그리고, 여기서부터 시내까지 가려면 10만원 정도 나올 거야."

"나에게 수학은 영원한 적, 캡빵 어렵다.

과학은 풀리지 않는 수수께끼. 머리 쥐난다.

그러나 자신 있는 건 단 하나, 바다쓱이!

난 바다쓱이를 열라 열심히 해서 짱 소끼사(?)가 될거다."

필자는 처음엔 주제별로 정리했는데(실제 대부분의 유머집이 주제별이다.) 남에게 써먹으려면 대상별 분류가 더 편리하다는 것을 알 게 되었다. 대상별로 보면 앞 유머는 모든 사람이 된다. 어른이나 어린이, 남자나 여자 모두 수용할 수 있는 내용이다. 반면 두 번째 유머는 성인 대상이다. 세상이 바뀌었다하나 나이 지긋한 노신사가 어린 여학생에게 만약 이 유머를 구사했다고 하자. 당장 변태 소리 듣는다. 그리고 마지막 유머는 학생 대상이다. 노인에게 말하면 "열라", "짱" 이란 말도 낯설거니와 내용도 그리 와 닿지 않는다.

다음은 주제별로 분류해 보자. 첫 유머는 딸꾹질, 마누라, 약국이란 주제로 할 수도 있지만 너무 경우의 수가 많다. 차라리 '실수' 로 정리하는 게 낫다. 두 번째 유머는 매춘, 돈거래, 남녀 등으로 나눌 수도 있지만 역시 '배신' 이란 주제가 더 실용적이다. 마지막 유머는 받아쓰기, 공부 등으로 할 수 있으나 가장 바람직한 것은 '푼수' 이리라.

유머형 인간을 위한 액션 플랜(Action Plan)

- 유머카드를 준비한다.
- 파일을 활용해도 좋다.
- 자신이 웃었던 내용을 적는다.
- 1년에 한 번 보완, 수정을 한다.
- 사용 후 시간, 장소, 대상을 기록한다.

5주 |

마이크와 친구하기

유머카드까지 준비하면 입이 근질거려서 참을 수 없다. 자꾸 남 앞에 나서다 보면 친구들이 권한다.

"너, 사회 좀 봐라."

"김 사장님, 주례 좀 서주세요."

"박 대리가 우리 팀 발표자 하라구."

내가 초등학생 때였다. 선생님이 꿈이 뭐냐고 물어 보셨다. 그땐 나도 어렸었나 보다. 과학자라고 대답했다. 다른 아이들도 과학자, 발명가, 우주비행사, 심지어는 대통령 등등 선생님께서 이번에는 우리 반에서 공부 좀 한다는 녀석에게 다가가 꿈이 뭐냐고 물었다. 공부깨나 한다는 녀석의 엽기적인 대답,

"이것저것 하다가 안 되면 선생질이나 해야죠 뭐."

그날 그 놈 기어서 집에 갔다.

한 젊은 남자가 늙은 갑부에게 어떻게 돈을 많이 벌게 됐는지 그 방법에 대해 물었다. 그러자 늙은 갑부가 말했다.

"음……, 아마도 그게 1932년이었지. 엄청난 공황이 휩쓸고 내 손엔 달랑 100원이 있었다네."

이야기가 시작되자 젊은이는 귀를 쫑긋 세워 열심히 듣기 시작했다.

"난 100원을 가지고 사과 한 개를 샀지. 하루 종일 그 사과를 닦고 광을 내서 그날 저녁에 200원에 팔았다네. 다음날도 200원으로 큰 사과 두 개를 사서 닦고 광을 냈지. 저녁에는 400원에 팔고 말야. 이렇게 잠 안 자고 피땀 흘려 최선을 다해 한 달 동안 사과를 사고팔고 했더니 내 수중에 10만원이라는 돈이 들어왔다네."

젊은 남자는 흥미롭게 이야기를 들으며 물었다.

"그래서요?"

젊은이가 뭔가 더욱 기대하는 눈빛으로 묻자 노인이 내뱉듯 대답했다.

"글쎄, 운이라고 할까? 그러던 어느 날 그때 우리 장인어른의 숨겨진 자산 200억이 생겼는데 유산으로 물려주시고 곧 돌아가셨어."

그 놈 참, '선생질' 이라니. 맞을 짓 했다. 어쨌거나 이 '선생질' 하는 사람만큼 마이크 많이 잡는 사람 없다. 누굴 직업적으로 가르치는 사람들이 마이크를 많이 잡는다. 대학 교수, 사내 교수, 유치원 초중고 교사, 산업 강사, 학원 강사 등. 다음 기업체 리더들, 관리자가 되면 마이크를 자주 잡는다. 아침 조회, 직원 교육 등. 그리고 방송인들 아나운서, 성우, 탤런트들도 전문 말꾼이다.

마이크를 많이 잡으면 유머를 잘하기 위한 필요조건을 갖춘 셈이다. 그러나 충분조건이라 말할 수는 없다. 강의를 수십 년씩 해도 교실에서 학생들을 꿈의 세계로 이끄는 초강력 수면제 교수님들이 너무 많은 게 우리 실정이다. 이런 분들의 특징은 말은 많이 하지만 듣는 사람들의 심리, 태도에 대해 둔감하다는 공통점을 가지고 있다.

내 말에 대한 반응은 두 가지로 구분된다. 호감적 청취반응과 거부적 청취반응.

호감적 청취반응

1. 미소를 짓는 사람들이 늘어난다.
2. 강사의 얼굴에 시선이 모인다.
3. "쉬었다 할까" 물으면 "계속 해요" 라고 말한다.

거부적 청취반응

1. 짜증, 하품을 하는 사람들이 늘어난다.
2. 시계에 시선이 모인다.
3. 쉬었다 할까 물으면 엄청난 데시벨로 '네!!!' 소리가 나옴과 동시에 다 잔다.

유머형 인간이 되려면 어떤 내용을 전하느냐에만 신경 쓸 게 아니라 상대가 내 말에 어떻게 반응하는 지 읽는 능력이 필요하다. 그 분석과 대응은 0.5초 안에 이루어진다.

- 내 말에 웃는 군 – 살짝 같이 웃을까.
- 안 웃는군 – 말투를 좀 강력하게 하고 사투리를 삽입할까?

오호, 앞에 있는 학생 하나가 엉뚱한 질문을 하는군. 찬스다. 이 친구를 살짝 망가뜨리며 웃음을 유도할까나?

유머 잘하려면 마이크를 많이 잡도록 하라. 실수도 하고 망신도 당할 각오를 하자. 상대의 반응을 살피다 보면 자신의 장점을 알게 된다.

마이크 잡고 말하는 것과 그냥 가족에게 말하는 것은 다르다. 대중들은 아마추어에겐 냉정하게 등을 돌린다. 그러나 프로들에겐 박수를 준다. 진정한 유머형 인간이 되려면 마이크의 관문을 넘을 것을 권한다.

유머형 인간을 위한 액션 플랜(Action Plan)

- 기회있을 때마다 마이크를 잡는다.
- 손에 들고 하는 마이크와 핀마이크는 감이 다르다. 체험이 중요하다.
- 청중들의 눈을 골고루 본다.
- 청중들을 사랑하고 있다고 생각하라.
- 청중들이 나를 좋아한다는 자기암시를 하라.

6주 |

나만의 개인기 준비하기

마이크를 자주 잡다 보면 자신만의 개인기 필요성이 생긴다. 웃음과 박수까지 받을 수 있는 개인기! 과연 내가 할 수 있을까?

드라마 패턴

① 여자친구가 변하면 남자가

"너 이러지마, 너 이러는 거 너 답지 않아."

그럼 여자는

"나 다운 게 어떤 건데?"

② 남여 배우가 서로 할 말이 있는데 서로 동시에

"저기……."

씩 웃으며 다시

"먼저 말해."

하다가 결국엔 한사람이 말한다.

③ 싸움을 하다가 코피가 터진 사람은 코피를 한번 쓱 닦고

"흐윽."

하면서 코피가 터진 걸 알아차린다.

④ 임신한 사실은 꼭 입덧으로 알고, 입덧을 할 때도 너무 과장된 입덧을 한다.

⑤ 택시를 한번에 잡기가 하늘에 별따기인 밤에 주인공들은 손만 흔들면 택시에 기다렸다는 듯 자기 앞에 떡~하니 멈춘다.

⑥ 여자가 울 때 눈화장 하나도 안 번지면서 운다 .

⑦ 자신을 배신한 남자의 아기를 항상 낳아 키운다.

⑧ 잘 때 화장 하나도 안 지우고 잔다. 심지어 색조화장 위에 스킨 바른다.

⑨ 교통사고를 당할 때 도망가도 될 거리에서 차를 멍하니 바라보며 죽음을 맞이한다.

⑩ 택시에서 내릴 때 돈 안 낸다. 기사는 받을 생각도 안한다. 간혹 있는 대로 확 던지면 계산 끝이다.

⑪ 차운전하고 가던 중 전화를 받으면 꼭 그 자리에서 차를 거꾸로 돌린다. '끼이익' . 그런데 차는 한 대도 없다.

⑫ 남자주인공과 여자주인공이 서로를 찾아 헤맬 때 같은 공간에 있으면서 반대편을 향해 뛰어간다.

⑬ 가난한 여주인공들. 옷은 항상 바뀐다. 그것도 매번 비싼 옷으로.

⑭ 근육이 많은 남자주인공은 꼭 샤워하는 장면이 나온다.

⑮ 남주인공이 "어! 별똥별 떨어진다!" 하면 여주인공은 꼭 "어디, 어디? 못봤어. 아이 소원 빌어야 되는데……." 한다.

앞의 글 '드라마 패턴 꼭 이렇다'를 보니 드라마박사인 동창생 하나가 생각난다. 이 친구는 어딜 가나 스타 취급을 받는다. 특히 여자들은 "어머, 어머. 옴마, 옴마."를 연발하며 그 친구에게 귀를 기울인다. 어떤 대목에선 낄낄 웃게 만들고 어떤 대목에선 펑펑 울게 만든다.

남의 여자를 울렸다 웃겼다 재주도 좋은 이 친구의 개인기는 영화 전달하기. 한국 영화와 외국 영화, 액션 영화와 멜로 영화, 주말 드라마와 아침 드라마 장르와 내용에 구애받지 않고 다 섭렵한다. 주연 배우의 사생활, 감독의 지향점, 극장가 반응에서부터 칸 영화제 시상 주안점 등을 꿰뚫고 있다. 오늘 내용, 다음 회 줄거리는 물론이요 배우가 왜 드라마에 출연하는지, 일류 탤런트가 왜 영화계에 기웃거리는지도 이 친구에게 물어 보면 막힘이 없다. 영화면 영화, 드라마면 드라마, 스토리와 비하인드 스토리, 출연료와 스캔들까지 줄줄 좔좔 막힘이 없이 쏟아내는 이 친구의 개인기는 당연히 '영화(드라마) 전달'이다. 하도 연구하다보니 결말이 어떻게 될지 이 친구가 예측하면 거의 99% 맞는다. 참 부러운 개인기다.

어느 가정집에서 불이 났다. 당황한 할아버지와 가족들은 놀라서 허둥댔다. 할아버지가 외쳤다.

말투도 개인기의 일종이다. 다음 유머를 말투에 신경쓰며 연기하듯 전해보자.

"할멈, 119가 몇 번이지?" (할아버지 말투)

"아, 그걸 내가 어떻게 알아요? 아범아! 119가 몇 번이냐?" (할머니 말투)

"예, 어머니. 저도 갑자기 생각이 안 나네요." (젊은 남자 말투)

그러자 옆에 있던 누나가 침착하게 말했다.

"아빠, 이럴 때일수록 침착하세요. 114에 전화해서 물어봐요."(젊은 여자 말투)

표정과 말투는 하나로 어우러져 동화 구연 능력을 향상시키기도 한다. 예비 부모나 예비 할아버지 할머니가 되려는 사람이라면 말투를 익히는 것도 좋을 듯하다.

119 이야기에는 다양한 연령층의 사람들이 등장한다. 할아버지, 할머니, 아빠, 누나, 그리고 어린 학생까지.

1. 노인 말투: 고갤 좌우로 젓는다. 말하다 숨이 차기도 하고 늘어진다.

"뭐어~라구. 안 들~려."

2. 남자말투: 약간 굵은 남자투를 내려면 아랫배에 힘을 주는 것이 좋다.

"밥 좀 주구려."

3. 여자 말투: 날카로운 소프라노 말투, 일부러 가성을 만든다.

"어머, 웬일이야. 흥!"

4. 어린이 말투: 맨 뒤를 길게 끈다.

"내꺼야아~~~~~ 울엄마한테 이른다아~~~~~~"

한 가지 개인기만 있으면 어디 가든 대환영이다. 우리가 흔히 알고 있는 개인기로는 유명인 모창, 춤, 마술, 독특한 표정 짓기 등이 있다. 필자의 경우 강의를 하면서 자연스레 말투와 표정 연기에 대해 사람들이 자주 언급한다.

"김원장님은 표정이 재미있어요."

"김교수님 말투 시간이 제일 재미있어요."

개인기라고 해서 남 따라 할 필요도 없고, 남들이 잘하는 일반적인 것만 고집할 필요는 없다. 아마데우스에 주인공으로 출연한 배우의 웃음 소리를 기억하는가?

"아하하하하하하하하항"

웃음이 바로 개인기란 생각이 들었다. 우리 중학 동창 중에 병 따는 개인기의 일인자 일명 '병따개' 군이 있었다. 소풍가면 양 쪽 어금니를 이용해 한 번에 두 병씩 딴다. 한마디로 오프너보다 빠르다. 지금 어디 있는지 이빨은 안 상했는지 궁금하다.

칵테일 잘 만드는 사람, 장작 잘 패는 사람, 풍선으로 강아지 만드는 사람, 담배연기로 하트 만드는 사람, 트럼프를 멋지게 다루는 사람, 라면 한 가지로 33가지 요리를 만드는 사람, 제기차기를 한 시간 계속하는 사람도 있다. 어떤 것도 좋다. 평소 자기가 관심 갖고 즐기는 것을 조금만 발전시키면 유쾌한 개인기가 될 것이다. 유머형 인간은 자신을 남에게 인지시키는 방법을 하나씩 가지고 있다.

유머형 인간을 위한 액션 플랜(Action Plan)

- 말투에 변화를 준다.
- 제스처를 섞어 말해본다.
- 남들에게 내가 잘하는 게 무엇인지 물어본다.
- 사람들이 내게 자꾸 시키는 게 있다.
- 가장 박수 받는 노래 한가지를 완벽하게 연습하라.

7주 |

'수사반장'으로 조크유머 정복하기

개인기로 사람들의 눈을 사로잡은 후 조크 유머로 행복하게 해주자.

맥주와 샌드위치를 사먹은 손님이 테이블 위에 놓고 간 5천 원짜리 한 장을 여종업원이 자기 주머니에 집어넣는 것을 레스토랑 주인이 봤다. 주인은 고함을 질렀다.

"이게 뭐하는 짓이지?"

"아니, 이럴 수가 있어요, 글쎄."

여종업원이 태연하게 대꾸했다.

"어떤 남자가 들어와 맥주와 샌드위치를 시켜 먹고는 식사비는 안내고 팁만 5천원 놓고 나가지 않겠어요, 글쎄."

학생이 전학을 왔다. 담임선생님이 학생기록부를 작성하려고, 학생에게 아버지 성함을 물었다.

선생님 아버지 성함이 뭐니?

학생 예, 진가진입니다.

선생님 이 녀석아, 부모님 성함을 그렇게 막 부르면 쓰냐?

학생 죄송합니다.

선생님 다시 말해봐!

학생 예, 아버지 성함은 "진짜 가짜 진짜"입니다.

여종업원 입장에선 팁이 더 중요하니 그럴 만도 하다. 아버지의 이름이 참 묘하다. 예의범절을 차리려 한 게 오히려 불효한 꼴이니 참 선생님 입장도 난처하게 되었다. 두 유머 다 조크 유머에 속한다. 유머를 나누는 방법은 다양하다. 실용적인 관점에서 보면 남이 만든 유머, 즉 유머집이나 인터넷에서 퍼 온 유머, 친구에게 전해들은 유머, 사오정 시리즈 정치인 시리즈 등 시리즈 유머. 이러한 것들을 보통 조크유머라 할 수 있다. 다음에 나오는 체험담 유머와 대비되는 개념이다.

조크유머는 누군가의 머릿속에서 창작되어 대중에게 널리 퍼진 것이다. 나만 알고 있는 게 아니란 말이다. 그리고 내용이 보통 과장되거나 극적이다. 웃음을 극적으로 창출하기 위해 그리 제작한 것이다. 허나 전하는 사람의 능력이 부족하면 이러한 점들이 부메랑이 되어 썰렁하게 되는 비극을 겪게 된다.

"아니 저 사람 싱겁게 왜 저래?"

"뭐야, 재미없는 내용이잖아."

프로가 전하면 듣는 사람이 이미 알고 있던 내용이라도 재미있다. 그러나 시원찮은 실력으로 떠듬떠듬, 더군다나 알고 있는 내용을 말할라치면 당장 돌 날라 온다. 허나 조크 유머를 포기할 수는 없는 일, 방법이 전혀 없는 것은 아니다. "썰렁해.", "나도 아는 거야.", "사장님한텐 안 어울려요."등 조크 유머의 후유증을 바로 잡는 전문가가 있으니 바로 '수사반장'이다.

수 수집이다. 자신에게 맞는 내용을 수집하라. 자신을 웃겼던 내용이어야 한다. 자신도 웃기지 않았는데 그걸로 누굴 웃길까? 자신의 나이나 지위, 취미나 직업과 어울리는 내용을 고르는 게 필요하다. 앞에 나오는 유머카드와 동일한 내용이니 글을 줄인다.

사 사용이다. 과감하게 사용하라. 이 사람 저 사람 전화로 혹은 대면해서. 내일 많은 사람에게 사용할 것이면 오늘 밤 아내에게 혹은 애인에게 사용해 보는 게 필요하다. 사용해 봐야 기억도 잘 된다. 이 단계를 소홀히 하는 사람들이 꼭 이런 말한다.
"희한하네, 들을 때 재미있었는데 전하려니까 생각이 안 나네."

반 반응이다. 상대의 반응을 잘 살펴보는 사람이 유머능력이든 대인관계든 성공한다. 상대가 웃으면 같이 웃으면 된다. 그러나 먼저 웃는 건 금물. 증세가 심한 사람들은 내용도 전하기 전에 혼자 웃는다. 아마추어 티가 물씬 풍기는 행동이다. 만약 상대가 안 웃으면 어떻

게 할까? 초보의 경우 첨엔 잘 안 웃을 것이다. 이럴 땐 '내가 웃기려한 줄 알아.' 하는 표정으로 넘어가라. 수모와 비웃음의 과정을 참고 기다리다 보면 어느 샌가 당신은 유머의 프로가 되어 있을 것이다. 쑥과 마늘만으로 100일의 고난을 견디고 꿈을 이룬 곰의 교훈을 기억하라.

장 장점이다. 자 이제 반응도 잘 나온다. 당신이 유머 할 때마다 사람들이 폭소한다. 그중에서도 특히 사람들이 잘 웃을 때가 있을 것이다. 그게 당신의 장점이다. 어떤 사람은 정치유머에, 어떤 사람은 학생 유머에 장점이 있다. 어떤 이는 간드러진 내시 말투에, 또 어떤 사람은 깍두기형님들 말투를 사용할 때 사람들이 뒤집어진다.

'꿩 잡는 게 매' 란 말이 있다. 유머의 목적은 남을 웃기는 것이다. 장점을 계발할 이유는 여기에 있다. 참고로 말하자면 자신의 고향 말을 익히는 것도 유리하다. 호남출신은 호남 말에 강하고 (한 번 혀보랑게.), 또 영남출신이라면 그 쪽 말에 강하다.(한번 해 보소.) 타향 말로 유머해 봤자 썰렁하기만 하고 빛 보기 힘들다.

자, 수사반장으로 무장하면 만득이 시리즈도 사오정 시리즈도 '완전정복' 하게 된다.

유머형 인간을 위한 액션 플랜(Action Plan)

- 수사반장을 6개월만 반복하라.
- 유머형인간은 끊임없는 노력으로 만들어진다.
- 가장 가까운 사람에게 수사반장을 적용하고 반응을 살펴라.
- 자신의 유머의 장점을 한번 찾아보아라.
- 가장 가까운 사람의 유머 강점을 찾아보고 모방하라.

8주 |

자기 체험담 전하기

조크 유머에서 생기는 후유증도 없고 구수하게 전할 수 있는 체험담시간이다. 자신의 실패담, 망신당한 이야기, 고생을 극복한 실화를 간증 식으로 전해 보자.

예화1

우리 딸 다희가 어렸을 때다. 필자의 사이트에 보면 '다희에게 보내는 편지' 가 있는데 다희 5살 때다.

"아빠 한 입 먹어."

난 감동 먹었다. 짜식, 사람으로 키워준 은혜는 알아 가지구 드디어 효도하는구만. 컸다, 컸어. 난 흐뭇한 미소와 함께 딸네미가 내미는 슈크림 빵을 딱 한 입 먹었다. 빵을 먹은 후 남은 양(1/4)을 확인한 딸의 얼굴이 분노와 경탄, 놀라움과 배신, 경악과 허무함이 혼재된 표정으로 울부짖는다.

"으앙, 엄마. 아빠가 내 빵 다 먹었어!"

참 어이가 없다. 자기 스스로 한 입 먹으라 하지 않았던가? 만에 하나 내가 뺏어 먹었다든가, 두 입을 먹었다면 나의 불찰이다. 그러나 난 그러지 않았다. 물론 내 한 입이 좀 크긴 크다. 단 한 방에 빵의 3/4이 입 속으로 들어갔으니깐. 어린 시절부터 밥주걱이 들락날락하던 입이니 까짓 슈크림 빵쯤이야. 이런 나의 입 크기에 대한 가공할 위력을 간과한 것이 딸의 실수라면 실수였다. 그 날 두 시간 동안 모녀한테 시달렸다.

예화2

저는 삼촌이 경영하는 작은 회사에 다닙니다. 근데 저희 삼촌 경력이 좀 화려하다면 화려합니다. 특히 쌈박질 쪽으로. 퇴근 길이였습니다. 삼촌이 운전석, 저는 조수석. 유난히 그날따라 뒤에서 알짱거리는 승용차 한대에 신경은 더욱 곤두서 있었지요. 참 참고로 저희 삼촌은 운전할 때 다른 운전자와 신경전이 벌어지면 안전벨트부터 풉니다. 선방을 날려야 한다는 생각에 드디어 신경전 끝에 신호대기에 걸렸고…….

이때 뭐가 그리 급한지 옆으로 다시 끼어 들어오는 승용차. 더 이상 참지 못한 저희 삼촌이 차창 문을 열고 열라 큰 목소리로 이렇게 말하더군여.

"야 임마! 그렇게 바쁘면 어제 나오지 그랬어!"

예화3

1. 사람이 이빨로 이기다!

에디오피아에서 1997년 어느 목동이 어두운 저녁 산길을 급히 가다가 넘어져 굴러 떨어졌다. 다리가 부러진 그는 기어가다가 입맛을 다시며 나타난 표범을 보고 기겁했는데……. 다리가 부러진 그는 표범이 덤벼들자 맨 몸으로 덤볐다. 목동은 표범이 자길 긁기 위해 도약할 때, 몸을 최대한 숙여 피하여 녀석이 땅에 도착하자 녀석 목을 휘감고 매달려 있는 힘을 다해 이빨로 녀석 목을 물었다. 1시간도 더 넘는 혈투 끝에 표범 목덜미는 찢겨나가고……. 사람이 맨 이빨로 맹수를 물어 죽이는 놀라운 사건이 벌어졌다.

2. 예의바른 강도

2002년 말레이시아 콸라룸푸르. 어느 큰 은행에 강도가 들이 닥쳤다. 총기로 수백만 링기트를 챙겨 달아나려고 바깥으로 나갈 찰나. 어느 직장인이 돈을 들고 입금하러 들어오던 순간. 둘 다 멈춰 섰다. 총기를 든 강도들에 놀란 직장인은 겁에 질려 3만 링기트(140만원 정도)를 내밀며 살려달라고 애원했으나 가만히 있던 강도들은 머리 숙여 인사하며,

"아닙니다. 우린 이 돈으로 충분해요. 댁은 그냥 은행에 입금하시든지 가지고 계시든지 마음대로 하세요."

3. 정말 죽으려는 사람은 안 죽고……

2001년 타이. 방콕 한적한 거리, 사업에 망한 42살 난 남성이 투신 자살하기 위해 8층 건물에서 뛰어 내렸다. 그러나 마침 그 밑을 지나던 노점상 포장마차 밑으로 떨어지며 그는 목숨을 구했는데……. 포장마차에 '쾅' 소리가 나자 노점상 주인은 놀라 뒤로 물러서다가 지나던 차에 치여 그 자리에서 숨지고, 그 차는 다른 차에 연쇄충돌, 대형사고로 벌어져 무려 15명이 숨지고 28명이 부상당하는 참극이 일어났다. 반대로 죽으려던 남성은 전치 3주라는 경미한 부상을 당했으나, 15명이나 죽었기에 이 남성은 더더욱 미칠 노릇이 되었다.

예화1은 필자와 딸의 실화다. 예화2는 젊은 사람이 삼촌에 대해 묘사한 이야기다. 예화3은 외국에서 일어난 해외토픽성 예화다. 체험담이라고 해서 다 재미있는 것은 아니다. 유머기법이 들어가 짜임새를 갖춰야 한다. 반전, 기대, 대조, 심리 묘사, 흥미 있는 결말, 그러면서도 누구나 공감할 수 있는 내용 전개 등.

일반적으로 내용의 성격이 동일할 경우 남의 예화 보다는 자신의 예화가 사람들의 흥미를 끈다.

① '저 아는 사람이 그러더군요. 그 사람이 오늘 아침 지하철에서 조간신문을 보는데…….'

② '출근하기 위해 지하철에 탔죠. 제가 늘 그랬듯이 오늘 아침 조간신문을 보는데…….'

①번은 타인 예화고 ②번은 자기 예화다. 보통 청중들은 '아하, 저 사람이 직접 겪은 이야기구나.' 라고 생각하면 타인예화에 비해 3배의 흥미

와 호기심을 갖고 청취한다.

코미디언 빌 코스비가 한 말이 생각난다.

"내가 체험담으로 사람들을 웃기니까 내겐 재미있는 일만 생긴다고 생각하는 사람들이 있어요."

코스비나 김진배나 재미있는 일만 겪는 건 아니다. 남들과 똑같이 짜증나고, 무덤덤하고 그저 그런 일로 하루가 도배되어 있다. 그러나 세상을 유머란 안경으로 보는 습관을 들이면 짜증이 흥미로, 무덤덤이 즐거움으로 변하게 된다. 마치 흉측한 두꺼비가 멋진 왕자님으로 변하는 것처럼. 유머형 인간은 세상을 웃음과 재미로 가득 차게 만드는 도깨비방망이를 가지고 사는 사람들이다.

유머형 인간을 위한 액션 플랜(Action Plan)

- 오늘 겪은 일 모두가 유머의 소재가 된다.
- 한 번 정도의 반전과 과장으로 요리하면 체험담이 곧 유머다.
- 재미의 눈으로 보면 인생은 즐거움으로 가득찬다.
- 남의 예화보다는 자신의 예화가 3배 더 가치 있다.
- 오늘 조간 신문 속에서 재미있는 기사 3개만 발굴하자.

9주 |

재수있는 얼굴로 바꾸기

사람들에게 재미있는 체험담을 전하다 보면 얼굴에 미소가 번지고 생기가 돈다. 웃으면 복이 온다고 했던가. 재물 복, 수명 복, 재수(財壽)있는 얼굴을 만들어 보자.

남자가 '이제 나도 삼십대' 라고 느낄 때

1. 크리스마스 이브날 귀가시간이 초저녁일 때
2. 택시운전기사 아저씨와 자연스럽게 대화가 통할 때
3. 철 지난 옷을 입고서도 남의 눈치를 보지 않을 때
4. 노래방 선곡목록의 최신곡 란에서 아는 노래를 찾을 수 없을 때
5. '가요무대' 나 '전국노래자랑' 프로를 재미있어 할 때
6. 몸에 좋다는 음식이나 약 이야기가 들리면 귀가 솔깃해질 때
7. 군인들이 더 이상 아저씨가 아니라고 느끼기 시작할 때
8. 미스코리아 대회에 나온 여자들이 어리다는 것을 느낄 때.

- 여자 나이 스물이 되면 스페인을 닮은꼴이 된다. 아주 뜨겁고 느긋해서 자신의 아름다움에 대한 자신감이 있다.
- 여자 나이 서른이 되면 이태리를 닮은꼴이 된다. 예전만은 못해도 여전히 가볼 만한 따뜻하고 탐스러운 데가 있다.
- 여자 나이 마흔이 되면 영국을 닮은꼴이 된다. 남들은 알아주지 않는데, 아직도 자기가 최고라는 착각에 산다. 을씨년스런 날씨에 안개도 잘 껴서 사람들을 곤혹스럽게 만든다.
- 여자 나이 쉰이 되면 캐나다를 닮은꼴이 된다. 아주 넓고 조용하며 국경에는 사실상 순찰이 없고, 몹시 차가워서 사람들이 얼씬하지 않는다.
- 여자 나이 예순이 되면 몽골과 닮은꼴이 된다. 오래전 옛날 온갖 정복으로 엮어낸 영광스런 과거가 있었지만 한스럽게도 미래가 없는 것이다.
- 여자 나이 일흔이 되면 이라크 같은 꼴이 된다. 그 나라가 어디 있는지는 다들 알지만 그곳에 가보고 싶어 하는 사람은 없다.

남자나 여자나 나이 먹는다는 건 서글픈 일이다. 오죽하면 누군가가 '날 두고 간 님은 용서하겠지만 날 두고 간 세월이야.' 라 한탄했으랴. 나이를 먹으면 생물학적 변화가 일어나는데 피부의 탄력이 없어진다. 피부도 늙기 때문이다. 머리카락도 영양부족현상으로 하얗게 변한다. 주름이 잡히며 눈가에는 지방질이 쌓여 처지며 눈도 침침해진다. 그래서 여성들은 거액의 성형수술을 마다않는다. 남자의 얼굴은 이력서고 여자의 얼굴은 청구서란 말이 있는데 남자는 살아온 세월이 얼굴에 드러나고 여자는 들인 돈의 액수가 얼굴에 드러난다는 말이다. 그러나 화무십일홍이라 젊음은 금방이다.

나이를 먹어도 얼굴이 아름다운 사람들이 있다. 바로 복된 얼굴을 한 사람들이다. 건강하고 부자 되려면 먼저 웃는 얼굴을 만들어야 한다. 복은 얼굴을 통해서 들어오기 때문이다. 오랫동안 굳어진 얼굴의 웃음 근육을 훈련시키려면 부단한 노력이 필요하다. 필자는 등산하며 만나는 사람들에게 무조건 인사한다.

"수고하십니다. 어느 산악회에서 오셨어요?"

"조심해 내려가세요."

"정상까지 얼마나 남았어요?"

아침저녁 출근 시간도 웃음 연습하기 좋은 시간이다.

"자기, 넥타이 잘 어울린다."

"잘 어울리지? 자기가 골라준 거잖아. 다녀올게. ^^"

그러나 이건 희망사항이고 한국 남자들은 대부분 어떻게 하나.

"넥타이 신경 쓰지 말고 밥이나 좀 잘 해라."

이러니 여자가 열 받아 죄 없는 애 때리고 애는 개 때리고 개는 주인 물고 집안 꼴 참.

재수있는 얼굴을 만들려면 최하로 하루 세 번은 웃어야겠다는 각오를 하는 게 좋다. 사실 외국 사람이라면 한 시간에도 세 번 이상 웃지만 우리 정서엔 하루 한 번도 안 웃는 사람이 넘친다. 세 번이 달성 되면 다섯 번, 열 번으로 늘리자. 큰 바위 얼굴을 오래 보니 자신의 얼굴도 그를 닮았다는 전설이 기억난다. 평소에 존경하는 사람이나 좋아하는 사람의 사진(웃는 얼굴로)을 걸어 놓는 것도 좋다.

의식적으로 노력하면 주위 사람들이 변화를 느낀다.

"인상 좋으십니다."

"웃는 얼굴이 너무 보기 좋아요."

이제 당신은 유머형 인간의 구부능선을 넘었다.

유머형 인간을 위한 액션 플랜(Action Plan)

- 등산가서 웃음인사 연습하자.
- 출근시간은 미소의 최적 시간이다.
- 악수, 포옹 등 스킨십은 인간성을 회복시켜준다.
- 목욕, 화장시간에 미소를 만들어보자.
- 사진찍을 때 미소나오는 요령– 김치~, 치즈~, 위스키~

10주 |

유머형인간의 대인관계 노하우 Yes & But 실천하기

이미 당신은 웃음이 넘치는 인상만으로 상대에게 큰 호감을 준다. 이젠 칭찬, 설득, 상담을 전천후로 해주는 마지막 과정, 화룡점정(畵龍點睛)의 최고급단계에 도전해보자.

한 정치인이 마이크를 잡고 연설을 하는데 어디선가 계란이 날라 온다. 그러자…

"계란을 주니 고맙습니다.(Yes) 기왕이면 소금도……."(But)

석가모니가 제자와 함께 길을 가는데 건달들이 시비를 건다.

"야, 이 거지같은 놈들아. 까까중들아!"

석가모니는 빙그레 웃기만 한다. 제자들이 웃는 연유를 물으니

"제자야, 이 금덩어리를 자네가 내게 주면 내 것이지만, 내가 필요 없다고 하면 도로 자네 것이 되네. 마찬가지로 저 젊은이가 내게 욕한 것이

야 저들 자유지.(Yes) 허나 내가 안 받았으니(But) 그 욕이 누구에게 갔겠는가?"

이 말을 들은 건달은 석가모니의 10대 제자가 된다. 석가모니의 유머센스가 갈등 대신 화합과 설득이라는 결과를 가져온 것이다.

예수도 Yes & But 유머화법을 인류에게 전파했다. 팔레스타인 난민, 자살 테러, 야신 암살 사건에서 보듯 이스라엘과 아랍사람들은 철천지원수로 지내는데 예수시대에도 똑같았다. 예수는 갈등을 극복하는 방법을 우리에게 제시하고자한 유머형 인간이었다. 하루는 이방인 여자가 찾아와 딸의 병을 고쳐달라 하자 예수는 짐짓 화를 낸다. 물론 그녀의 믿음을 보려 일부러 연기한 것이다.

"내 어찌 너희 개 같은 자들에게 도움을 주리."

그러자 그 여인,

"맞소이다. 개라고 해도 좋습니다.(Yes) 그러나(But) 개도 부스러기는 먹을 권리가 있지요."

예수는 큰 칭찬을 한 후 은혜를 베푼다.

이상은 모두 실화들이다. 먼저 정치인의 일화를 보자. 얼굴에 계란을 맞았다는 것은 분명 보통 사람에겐 속상한 일이다. 그러나 유머적 반전을 통해 오히려 소금도 던져달라고 하니 상황이 갑자기 좋아진다. 선거판의 박수와 기세를 얻고, 당선까지 되니 이렇게 좋은 일이 어디 있는가?

석가모니의 일화도 같은 공식이다. 욕을 먹는다는 것은 누구라도 속상하고 기분 나쁜 일이다. 그러나 기분 나빠하고 같이 화내고 싸운다면 세상에 평화는 없다. 일단 맞장구를 쳐 주고 나서 반전을 시켜보자. 욕 하려면 하라. 그러나 난 필요 없으니 욕을 접수하지 않겠다. 이러한 반전 유머의 결과 좋은 분위기가 형성된다. 석가는 화낼 이유도 없고 제자가 생겼으며, 건달은 스승을 얻고 올바른 길로 가게 되었다. 아울러 제자들은 큰 가르침을 얻었으니 꿩 먹고 알 먹고 일 수 밖에.

가나안 여인도 마찬가지다. 예수께 서운한 말을 들었다고 해서 그냥 돌아갔다면 칭찬도 딸의 병도 다 물 건너간 일이었을 것이다. 그러나 유머형 인간다운 긍정 사고를 가졌기에 예수께 칭찬받고 딸의 병도 완치되고 무엇보다 과거부터 현대에 이르는 수많은 사람들에게 여유와 담대함, 유머형 인간의 대명사로 각인되었으니 정말 가문의 영광이다.

외국의 예를 한 번 더 들어보자.

역사적으로 링컨의 재치는 알아주는 것이다. 링컨 대통령이 의회에서 한 야당의원으로부터 이런 비난을 받았다.

"당신은 두 얼굴을 가진 이중 인격자요."

그러자 링컨이 억울하다는 듯 반문한다.

"만일 나한테 두 얼굴이 있었다면 왜 이런 중요한 자리에 하필 이 얼굴을 가지고 나왔겠습니까?"

- 내가 두 얼굴을 가졌다니 참 듣기만 해도 고마운 말이다. (Yes)

● 그러나 그건 틀린 말이다. 얼굴이 하나밖에 없어 이 얼굴로 나왔다. (But)

자, 이젠 실습을 해 보자. 당신이 식당에 갔다. 그런데 국 속에 파리가 둥둥 떠다닌다. 울화통이 터진다. 당장 소릴 지르고 싶다.

"이런 우라질"

"고발할껴. 구청으로 가장게."

"보소! 이게 뭔교? 사람을 멀로 보꼬……."

그러나 잠깐 참자. 한 번만, 단 한 번만이라도 상대의 입장에서, 상대의 눈으로 긍정해보자.

"고기를 주니 감사하군요. 허허."(Yes)

됐다. 성공했다. 당신은 이제 분노와 화를 다스리는 유머형 인간이 된 것이다. 그 담엔 입에서 어떤 말이 나오든 상관없다. 아무 말이나 나오게 내버려두자.

"근데요, 다이어트중이라 채식만 먹거든요."(But)

속상해도 3초만 참자. 상대의 말이 틀린 것 같아도 일단 끝까지 들어주자. 상대의 말이 비록 내 생각과 틀릴 지라도 있는 그대로 긍정해주자. 그 이후에 따지든지, 화를 내도 늦지 않다. 우린 너무 여유 없이 살아왔다. 상대를 막다른 골목으로 몰아세웠다. 그렇게 해서 남는 게 무언가? 정치인들의 갈등, 노사 갈등, 고부갈등, 세대 갈등, 부서간 갈등, 지역 갈등…… 핏대선 눈, 그릇 깨지는 소리, 삿대질, 다신 안 볼 것 같은 저주까지. 그동안 우린 너무 힘들게 살아왔다. 이젠 우리도 좀 행복하게 세련되고 성숙하게 살자.

유머형 인간은 'Yes & But'을 실천함으로 완성된다. 'Yes & But'은 대인관계의 '웰빙화법'이다. 당신도 맨 첫 주 '바꿔서 생각하기'부터 시작해서 2주차, 3주차…… 실천하느라고 고생 많이 했다. 이젠 새로운 인생을 살게 될 것이다. 새로 유머형 인간의 반열에 오른 것을 축하하며 건배를 제안한다.

유머형 인간을 위한 액션 플랜(Action Plan)

- 일단 맞장구 쳐주라. "하긴 그래." "그 말도 맞아."
- 3초 후에 화낸다.
- 상대의 입장에서 생각해보자.
- 상대 의견에 먼저 호감을 보내면 상대는 내 의견에 동조한다.
- 폭넓게 열려있는 사람일수록 더 높이 성공한다. 일단 맞장구 쳐주라. "하긴 그래." "그 말도 맞아."

인생을 행복하게 사는 법

인생은 짧다. 그래서 더 가치 있게 살아야 한다. 좀 더 대중적으로 표현한다면 잘 먹고 잘 살아야 한다. 신나고 재미있게, 즐겁고 옹골지게 살아야 한다. 기자들이 묻는다.

"김교수님은 유머강사가 된 동기가 뭡니까?"

유머 기법, 유머 효과, 유머의 이익에 대해 이리 저리 준비해가지고 기자를 만나지만 그런 것은 사실 많이 묻지 않는다. 그들은 인간 그 자체에 관심이 많다. 도대체 김진배란 내성적이고 평범한 남자가 왜 수많은 직업 중에서 유머강사라는 일을, 그것도 '유머강사 1호' 라는 특이하기도 하고 잘난체하는 것 같기도 한 직함을 가지고 있는지 신기한 것이다. 난 입에 침을 튀며 열변을 토한다.

"동기가 뭐냐구요? …… 예, 우선 남 앞에 서는 것이 훨씬 쉬워진답니다. 그 방법론을 제가 알거든요 그 방법으로 말씀드리자면……."

기자의 반응이 별로다. 좀 더 거창하게 나갈까나.

"예 또, 진짜 중요한 동기가 있지요. 우리나라에 갈등이 얼마나 많습니까? 고부 갈등, 노사 갈등, 여야갈등…… 이 갈등을 제거해서 우리나라는 물론 전 세계 평화를 구축하는 데 구현함은 물론 향후 발생할지도 모를 외계인과의 우주적 갈등도 극복하자는 게 저의 심오한 동기입니다."

이 정도 말하면 기자가 감동 먹을 것 같은데 영 아니다. 하긴 기자라는 사람들은 일년 열 두 달 전국에서 잘난 체 하는 사람들만 만나고 다니기 때문에 결코 감동하지 않는 게 당연지사다.

정말로 기자를 의식하지 않고 스스로 가만히 물었다.

"진배야, 네가 왜 이 일을 하지?"

별 일이다. 내가 왜 이 일을 할까? 어머니가 어릴 때 내게 간절히 원하던 의사 직이야 애당초 성적이 모자랐고, 사업을 하기엔 사람이 좀 멍청했고, 만화가가 되기엔 하늘이 손재주를 하사하지 않았고……. 아하! 그렇다. 다른 어떤 직업도 내가 수행하기엔 너무 벅찼던 것이다. 난 20대 초반 자가용 운전기사직부터 하는 일마다 실패했다. 워낙 지지리 모자란 사람이기에 그저 스스로 만든 직업 유머강사가 된 것이다.

의사가 되었다면 수술 직후 사라진 메스 많았을 것이다. 만화가가 되었다면 등장인물이 딱 두 명이었을 것이다. 머리 짧은 남자, 머리 긴 여자. 난 잘하는 일이 별로 없었다. 그나마 태어나 처음 제대로 칭찬받은 게 건대 응원부 시절 판토마임 '원한 맺힌 화장실' 연기했을 때였다.

굳이 두 번째 동기를 말한다면 웃는 게 좋았다. 웃고 웃기는 게 너무 너무 좋았다. 난 눈물나고, 고독하고, 무시당하는 게 너무 싫었다. 질리도록 경험했기 때문이다. 어머니가 장사 나가면 아침밥, 저녁밥 혼자 먹는 게 너무 싫었다. 잘 생기고 말 잘하는 친구 놈들이 여자애들과 시시덕거리는 꼴 보기도 싫었다. 나도 인기를 얻고 싶었다. 여자애들 관심을 끌고 싶었다. 칭찬받고 박수도 받고 싶었다. 한마디로 폼 잡고 싶었다. 이게 유머강사가 된 진짜 동기다.

남을 웃기는 일을 하다 보니 하루에도 수십 번 씩 나도 덩달아 웃는다. 강사료에 원고료에 돈도 생기지만 더 고마운 건 정신적인 얻음이다. 유머와 웃음은 절망에 빠진 내게 희망을 주었다. 고독에 빠진 내게 친구를 주었다. 골골하던 내게 건강을 주었다. 길을 못 찾아 골목을 헤매던 20대 청년에게 확실한 사명감을 심어주었다.

20대, 내게는 달콤한 시간은 없고 쓰고 맵고 힘든 시간만이 너무 많았다. 아침은 고독이, 점심 땐 번민이 그리고 저녁 땐 분노가 나의 일용할 양식이었다. 어느덧 강산이 두 번 바뀌는 시절이 흘러 중년의 나이가 된 지금 난 깨닫고 있다. 내게 주어진 시간이 그리 길지 않다는 것을. 인생은 행복하게 살아야한다는 것을.

내 서재가 있는 이천시 백사면 도립리엔 봄마다 산수유꽃 축제가 열린다. 음악 소리에 끌려 행사장 무대에 가 보니 고등학생들이 머릴 땅에 대고 브레이크 댄스를 춘다. 서너 바퀴 돌다가 머리가 아픈지 빵 떡 모자를 쓴다. 봄 날씨에 빵떡모자가 좀 언밸런스지만 오죽 아프면 그랬으랴 생각하니 안쓰럽다. 우리 몸 최상단부를 최하단부로 삼았으니 천지개벽을 하는 춤이로다. 춤과 음악이 끝나고 박수를 치는 순간 난 깨달았다. 저 학생들이야말로 나의 스승이란 것을. 얼마나 신나고 재미있으면 발이 있을 곳에 머릴 갔다댈꼬.

인생에서 가장 중요한 시간은 그제도 아니고 어제도 아니다. 내일도 아니고 모레도 아니다. 오늘 늦게도 아니다. 바로 지금 이 순간이다. 이 순간을 즐기는 것이야말로 중요하다. 내가 지금 무얼 하는지는 그리 중요하지 않다. 밥을 먹어도 신나게, 일을 해도 즐겁게, 춤을 춰도 짜릿하게 그렇게 하는 거다.

유머형 인간은 세상이 재미있는 곳이라고, 인생이 살아볼만한 신나는 거라고 생각하는 사람이다. 행복은 부모님이나 스승님이 사랑으로 주는 것이 아니다. 사장님이 연말 보너스로 '옛다, 가져라' 한다고 주어지는 것이 아니다. 내가 마음먹는 순간 행복은 온다. 방법은 여러 가지 소개되었다. 자신이 선택하면 된다. 이 책에는 언급되지 않았지만 나름의 행복 노하우를 가지고 인생을 재미있게 살아가는 무수한 유머형 인간들이 있을 것이다.

국화 전시회에 가면 온통 꽃향기 가득하듯 행복한 사람들 사이에 가면 행복의 향기가 진동한다. 당신과 내가 '난 행복한 사람이 될 거야.' 스스로에게 선언하는 순간 우린 행복으로 가득 찬 인생을 살 것이다. 진심으로 유머형 인간이 되길 권한다. 그래서 행복을 얻길 권한다. 나같이 약간 좀 스럽고 어지간히 모자란 사람에게도 충분히 행복을 나누어주는 유머의 약발을 기억하면서 모두 행복하길 바란다.

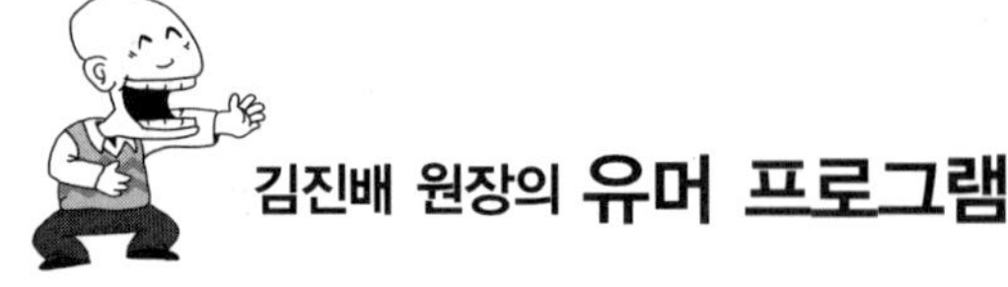

- 창의력과 아이디어 넘치는 모습이 되기를 원하십니까?
- 고객을 설득시킬 수 있는 재미있고 감동적인 화술을 원하십니까?
- 임직원들의 사기진작과 생산성향상이 요구되십니까?
- 원만한 대인관계와 리더십이 필요하십니까?

1. 유머 특강 프로그램

1. 웃기는 리더가 성공한다
(중간관리자 이상 리더대상: 2~4시간)
2. 고객의 마음을 잡아라.
(영업사원 대상: 2~4시간)
3. 성공인의 유머화술
(전사원 대상 2~4시간)
4. 유머 SPOT 기법
(교육담당자 대상: 10시간)

2. 교육개요

1. 대상-전사원, 영업사원, 여사원, 신입사원, 관리자, 사내강사 및 교육담당
2. 방법-강의식, 게임식, 참여식, 개인컨설팅식

3. 강사

- 김진배원장-연세대졸, 감신대대학원졸, 판토마임 배우, 방송유머작가, 현 연세대 최고지도자과정 외래교수, 현 한국산업교육연합회교수, 현 유머연구원장
- 저서-『성공하는 리더를 위한 유머기법 7 가지』, 『마음을 사로잡는 유머화술』, 『웃기는 리더가 성공한다』

4. 연락처

- 유머연구원 : 02-473-5378
- 이메일 : humorkim@unitel.co.kr
- 홈페이지 : www.humorlife.com